CB004516

O grande *divórcio*

Clive Staples Lewis (1898-1963) foi um dos gigantes intelectuais do século XX e provavelmente o escritor mais influente de seu tempo. Era professor e tutor de literatura inglesa na Universidade de Oxford até 1954, quando foi unanimemente eleito para a cadeira de Inglês Medieval e Renascentista na Universidade de Cambridge, posição que manteve até a aposentadoria. Lewis escreveu mais de 30 livros que lhe permitiram alcançar um vasto público, e suas obras continuam a atrair milhares de novos leitores a cada ano.

Clive Staples Lewis (1898-1963) foi um dos gigantes intelectuais do século XX e provavelmente o escritor mais influente de seu tempo. Era professor e tutor de literatura inglesa na Universidade de Oxford até 1954, quando foi unanimemente eleito para a cadeira de Inglês Medieval e Renascentista na Universidade de Cambridge, posição que manteve até a aposentadoria. Lewis escreveu mais de 30 livros que lhe permitiram alcançar um enorme público, e suas obras ainda atraem milhares de novos leitores a cada ano.

Para Barbara Wall

A melhor e mais longânime entre os escribas.

“Não, não há escapatória. Não existe céu com um pouco de inferno, nem um plano para guardarmos um pouco do diabo em nosso coração ou em algum lugar escondido. Satanás deve ir embora e, com ele, cada vestígio seu, por menor que seja.”

George MacDonald

Título original: *The Great Divorce*

Copyright © 1946 C. S. Lewis Pte. Ltd.
Edição original por HarperCollins *Publishers*. Todos os direitos reservados.

Os pontos de vista desta obra são de responsabilidade de seus autores e colaboradores diretos, não refletindo necessariamente a posição da Thomas Nelson Brasil, da HarperCollins Christian Publishing ou de sua equipe editorial.

Gerente editorial *Samuel Coto*
Editores *André Lodos Tangerino e Bruna Gomes*
Preparação *Marina Castro*
Revisão *Eliana Moura e Francine Torres*
Diagramação *Sonia Peticov*
Capa *Rafael Brum*

Dados Internacionais de Catalogação na Publicação (CIP)
(BENITEZ CATALOGAÇÃO ASS. EDITORIAL, MS, BRASIL)

L76g

Lewis, C. S.

O grande divórcio / C. S. Lewis; tradução de Elissamai Bauleo. — 1.ed. — Rio de Janeiro: Thomas Nelson Brasil, 2020.
160 p.; 13,5 x 20,8 cm.

Tradução de: *The great divorce*
Inclui bibliografia.
ISBN 978-65-56891-11-8

1. Céu. 2. Dualidade. 3. Inferno. 4. Vida cristã. I. Bauleo, Elissamai. II. Título.

9-2020/22 CDD: 236
CDU: 2-184

Índice para catálogo sistemático:
1. Céu : Inferno : Dualidade
2. Vida cristã

Bibliotecária responsável: Aline Graziele Benitez CRB-1/3129

Thomas Nelson Brasil é uma marca licenciada à Vida Melhor Editora LTDA.

Todos os direitos reservados à Vida Melhor Editora LTDA.
Rua da Quitanda, 86, sala 218 — Centro
Rio de Janeiro — RJ — CEP 20091-005
Tel.: (21) 3175-1030
www.thomasnelson.com.br

O grande *divórcio*

Um sonho

C.S. LEWIS

Edição *especial*

THOMAS NELSON
BRASIL®

O grande *divórcio*

Tradução:

Elissamai Bauleo

Sumário

Prefácio

Blake escreveu *O casamento do céu e do inferno*. Se eu escrevi sobre o seu divórcio, não é por me considerar antagonista à altura de tão grande gênio nem por ter absoluta certeza do que Blake queria dizer. De certa forma, porém, a tentativa de realizar esse matrimônio é perene, baseada na crença de que a realidade nunca nos apresenta absolutos inevitáveis de "uma coisa ou outra"; de que, com habilidade, paciência e (acima de tudo) tempo suficientes, uma forma de abranger ambas as alternativas sempre pode ser encontrada; de que meros desenvolvimentos, ajustes ou refinamentos de alguma forma transformarão o mal em bem, sem que, necessariamente, sejamos chamados a uma rejeição total e completa de qualquer coisa que desejemos conservar.

Acredito que essa crença seja um erro desastroso. Não podemos levar conosco toda a nossa bagagem em todas as viagens que fazemos; em certas jornadas, mesmo nossa mão direita ou nosso olho direito devem estar entre as coisas que temos de abandonar. Não vivemos em um mundo onde todas as estradas correspondem a raios de um círculo — onde todas, se trilhadas com a devida perseverança, se aproximarão cada vez mais do centro e finalmente se encontrarão. Na verdade, vivemos em um mundo em que cada estrada, após alguns quilômetros, se divide em duas, cada qual se ramificando em outras duas, e, em cada bifurcação, devemos tomar uma decisão. Mesmo em termos biológicos, a vida não é como um rio, mas como uma árvore: ela não se move em direção à unidade, mas para longe dela, na medida em que criaturas se distanciam cada vez mais umas das outras ao crescerem rumo à perfeição. O bem, ao amadurecer, distingue-se cada vez mais não apenas do mal, mas também de outras formas de bem.

Não penso que todos que escolhem caminhos errados perecem, mas acho que seu resgate consiste no retorno à estrada certa. Podemos consertar uma soma, mas só repassando o cálculo e continuando a partir do ponto em que erramos, nunca apenas "prosseguindo". O mal pode ser desfeito, mas não se "transformar" em bem. O tempo não cura o mal: o encanto deve ser desfeito, ponto por ponto, "com murmúrios de um poder desatador retroativo";[1] do contrário, não terá o efeito desejado. Ainda temos de optar por "uma coisa ou outra". Se insistirmos em manter o Inferno (ou mesmo a Terra), não veremos o Céu; se aceitarmos o Céu, não seremos capazes de reter nem

[1]Citação de *Comus*, de John Milton. Lewis se refere à anulação de um encanto quando pronunciado de trás para frente. *Todas as notas são do tradutor, a não ser que indicadas.*

mesmo as menores e mais íntimas lembranças do Inferno. Para mim, qualquer um que alcançar o Céu descobrirá que aquilo que abandonou (mesmo que tenha arrancado o olho direito) não foi perdido: que a essência daquilo que realmente buscava, mesmo em seus desejos mais depravados, estará lá, além de qualquer expectativa, aguardando por ele nos "Países Altos". Nesse sentido, aqueles que completaram a jornada (e não os outros) poderão dizer com sinceridade que o bem é tudo e que o Céu está por toda parte. No entanto nós, que não concluímos a viagem, não devemos tentar antecipar essa visão retrospectiva. Se o fizermos, correremos o risco de acolher a ideia falsa e desastrosa de que tudo é bom, e de que todo lugar é o Céu.

"E quanto à Terra?", você pergunta. Acho que, no final, a Terra não será considerada por ninguém um lugar muito diferente. Acredito que a Terra, se for escolhida em vez do Céu, acabará demonstrando ter sido, o tempo todo, apenas uma região do Inferno, mas, se posta em segundo lugar com relação ao Céu, terá sido, desde o início, uma parte do próprio Céu.

Apenas duas coisas mais devem ser ditas a respeito deste pequeno livro. Em primeiro lugar, devo reconhecer minha dívida para com um escritor, de cujo nome me esqueci, que li há muitos anos em uma revista americana dedicada ao que chamam de "cientificção".[2] A qualidade indobrável

[2]Ficção científica.

e inquebrável do meu material celestial me foi sugerida por esse autor, embora ele tenha usado tal imagem com um propósito muito diferente e criativo.[3] Seu herói viaja para o *passado*, e lá, de modo adequado, descobre gotas de chuva capazes de perfurá-lo como balas e sanduíches que ninguém pode morder, a despeito da força que aplique — já que, evidentemente, nada no passado pode ser alterado. Eu, com menos originalidade, mas (espero) igual propriedade, transferi essa inalterabilidade para o eterno. Se o autor da história que mencionei porventura ler estas páginas, peço que aceite minha gratidão. Em segundo lugar, peço ao leitor que se lembre de que este é um livro de fantasia. A obra contém, claro, uma moral — ou pelo menos foi minha intenção. Mas as condições além da morte são de cunho apenas imaginativo: não se trata nem sequer de um palpite ou especulação sobre o que realmente nos aguarda. Não quero de jeito nenhum despertar uma curiosidade fatual acerca de detalhes da vida após a morte.

C.S. Lewis

Abril de 1945

---

[3]Lewis se refere à história "The man who lived backwards" [O homem que viveu para trás], do autor inglês Charles F. Hall. Cf. ANDERSON, D. A. (ed.). *Tales Before Narnia: the Roots of Modern Fantasy and Science Fiction* [Contos antes de Nárnia: raízes do gênero fantástico moderno e da ficção científica]. Nova York: Del Rey, 2008.

Um

Eu parecia estar em uma fila, na calçada de uma rua longa e nada atraente. Era fim de tarde e chovia. Havia horas que caminhava por ruas semelhantes, sempre na chuva, sempre ao cair da tarde. O tempo parecia ter parado naquele momento triste, quando apenas algumas lojas tinham luzes acesas e ainda não estava escuro o suficiente para que as vitrines revelassem seu charme. Assim como a tarde parecia nunca alcançar a noite, minha caminhada nunca me levava às melhores partes da cidade. A despeito de quanto eu caminhasse, tudo que encontrava eram pensões sujas, pequenas tabacarias, painéis com pôsteres rasgados, armazéns sem janelas, estações de carga sem trens e livrarias do tipo que vende títulos como *As obras completas de Aristóteles*. Não deparei com ninguém. Exceto pela pequena aglomeração no ponto de ônibus, toda a cidade parecia deserta. Acho que foi por isso que decidi entrar na fila.

Em um golpe de sorte, logo ao posicionar-me, uma mulher mal-humorada que estava à minha frente começou a discutir com um homem que parecia acompanhá-la:

— Pois bem. Não irei. Está decidido! — deixando, então, seu lugar.

— Por favor — respondeu o homem, em tom cordial —, não pense nem por um momento que eu mesmo gostaria de ir. Só venho tentando lhe agradar para manter a paz! Naturalmente, o que sinto não é tão importante para você; isso está claro! — E, juntando ação à palavra, também se foi.

"Ótimo", pensei comigo. "São dois a menos."

O próximo da fila era um homem carrancudo e muito baixo que, olhando-me de relance com uma expressão de extremo desprezo, declarou, em um tom desnecessariamente alto, àquele que se achava à sua frente:

— Esse é o tipo de coisa que faz a gente pensar se vale mesmo a pena ir.

— Como assim? — resmungou o outro, um homem alto e corpulento.

— Para ser sincero — disse o Baixinho —, não estou acostumado a esse tipo de companhia.

— Ora — retrucou o Homenzarrão, colocando os olhos em mim —, não deixe que *ele* venha com gracinhas para você, homem. Você não está com *medo* dele, está?

Então, vendo que eu não tinha nenhuma reação, voltou-se repentinamente para o Baixinho:

— Quer dizer que não somos bons o suficiente para você? Veja como fala!

Em seguida, esbofeteou o Baixinho, fazendo-o cair no meio-fio.

— Deixem-no aí, caído — pediu, para ninguém em particular, o Homenzarrão. — Sou apenas um homem comum, um homem simples, e tenho os mesmos direitos que qualquer outra pessoa, não é mesmo?

Visto que o Baixinho não demonstrou a menor disposição para reocupar seu lugar na fila e começou a se afastar, aproximei-me, com cautela, do Homenzarrão, satisfeito comigo mesmo por ter galgado mais um lugar.

Pouco depois, dois jovens à frente do Homenzarrão também deixaram a fila, de braços dados. Ambos estavam tão bem-vestidos, eram tão esbeltos, risonhos e exagerados em seus tons de voz, que eu não consegui distinguir o sexo de nenhum dos dois, embora ficasse evidente que, naquele momento, um preferia a companhia do outro à chance de um lugar no ônibus.

— Nem todos conseguiremos entrar — suspirou uma voz feminina, quatro lugares à minha frente.

— Troco de lugar com a senhora por cinco moedas — disse outra pessoa. Ouvi o tinir do dinheiro e, em seguida, um grito feminino misturado com as gargalhadas do resto da multidão. Enganada, a mulher saltou de seu lugar para correr atrás do homem que a trapaceara, mas os outros imediatamente deram um passo à frente e, ocupando seu espaço, deixaram-na de fora. Foi assim que, entre um acontecimento e outro, a fila foi se reduzindo a proporções aceitáveis antes mesmo de o ônibus aparecer.

Era um veículo maravilhoso, com um brilho dourado e majestosamente colorido. O próprio Motorista parecia cheio de luz e conduzia com apenas uma das mãos. Com a outra, abanava o rosto, como se para afastar o vapor pegajoso da chuva. Ouviram-se resmungos na fila quando ele apareceu:

— Parece que andou se divertindo, hein?... O miserável é cheio de si... Por que razão não se comporta de modo *natural*?... Considera-se bom demais para olhar para nós... Quem ele pensa que é?... Todo esse brilho e extravagância, que desperdício maldito!... Por que não gastam parte do dinheiro nas propriedades daqui?... Francamente! Só queria lhe dar um tapa na orelha!

Eu não via nada na figura do Motorista que justificasse todo esse alvoroço, a não ser o fato de ele transparecer autoridade e parecer empenhado em realizar seu trabalho.

Meus companheiros de viagem lutaram como galinhas que disputam o poleiro para embarcar no ônibus, embora houvesse espaço suficiente para todos. Fui o último a entrar. Apenas metade dos assentos estava ocupada, de modo que escolhi um banco na parte de trás, afastado dos demais. Mas um jovem descabelado veio imediatamente e sentou-se ao meu lado. Logo em seguida partimos.

— Achei que não se importaria se eu viajasse com você — justificou-se —, pois notei que sente o mesmo que eu em relação a essa gente. Por que cargas d'água eles insistem em vir, não tenho a mínima ideia. Não vão gostar nem um pouco quando chegarmos ao destino, e estariam muito mais confortáveis em casa. Já, para nós, é diferente.

— Eles *gostam* deste lugar? — perguntei.

— Como gostariam de qualquer outra coisa — o rapaz respondeu. — Há cinemas, restaurantes populares e anúncios de tudo o que desejam. A terrível falta de vida intelectual não os preocupa. Percebi, assim que cheguei, que havia algo errado por aqui. Devia ter pegado o primeiro ônibus, porém me iludi tentando despertar as pessoas deste lugar. Encontrei alguns companheiros que já conhecia e tentei formar um pequeno círculo de amizades, mas todos parecem ter descido ao nível do ambiente que os cerca. Mesmo antes de chegar, eu tinha algumas dúvidas a respeito de um homem como Cyril Blellow. Sempre o achei um pouco desonesto. Mas pelo menos ele era inteligente. Ainda podíamos receber dele alguma crítica útil, embora fosse um fracasso no campo da criatividade. Agora, porém, parece que nada mais lhe resta além de sua presunção. Da última vez que tentei ler para ele algumas coisas que escrevi... Mas espere um minuto, você pode ver por si próprio.

Percebendo com um calafrio que o que ele extraía do bolso era um maço volumoso de papel datilografado, murmurei algo sobre não ter trazido os óculos e exclamei:

— Veja! Saímos do chão!

Era verdade. Centenas de metros abaixo de nós, já meio escondidos na chuva e no nevoeiro, os telhados molhados da cidade apareciam, espalhando-se ininterruptos até onde a vista podia alcançar.

Dois

Não fiquei por muito tempo à mercê do Poeta Despenteado, porque outro passageiro interrompeu a nossa conversa. Antes que isso acontecesse, porém, já havia descoberto muitas coisas a seu respeito.

O sujeito parecia ser um homem particularmente marcado por maus-tratos. Seus pais nunca o apreciaram e nenhuma das cinco escolas em que foi educado soube lidar com um talento e um temperamento como os dele. Para piorar a situação, era exatamente o tipo de aluno em cujo caso o sistema de avaliação funcionava com injustiça e absurdo máximos.

Foi somente ao chegar à universidade que o rapaz começou a reconhecer que todos esses desrespeitos não acontecem por acaso, mas são resultado inevitável do nosso sistema econômico. O capitalismo não apenas escravizou trabalhadores, mas também viciou o gosto e vulgarizou o intelecto; daí o nosso sistema educacional e a falta de

"Reconhecimento" dos novos gênios. Essa descoberta fez dele um comunista. Entretanto, com o advento da guerra e a aliança da Rússia com governos capitalistas, ele se viu mais uma vez isolado e forçado a se tornar um objetor consciente.

O Poeta confessou que as indignidades que sofreu nessa fase de sua carreira o amarguraram. Concluiu que poderia servir melhor à causa indo para os Estados Unidos. Contudo, os Estados Unidos também entraram na guerra. Foi a essa altura que, de repente, ele passou a considerar a Suécia o lar de uma arte realmente nova e radical, mas os vários opressores não lhe facilitaram a partida para o novo país.

O homem passou por problemas financeiros. Seu pai, que nunca havia progredido além da mais atroz complacência mental e presunção da época vitoriana, provia-lhe uma mesada ridiculamente inadequada. Além do mais, ele também fora muito maltratado por uma moça. No início, a considerara uma pessoa realmente civilizada e madura, mas com o tempo ela inesperadamente se revelou alguém de preconceitos burgueses e instintos monogâmicos. Ciúme e possessividade particularmente eram qualidades que ele detestava. Ao final, a moça se demonstrou mesquinha até com respeito ao dinheiro. Foi a última gota. Sua decisão foi pular embaixo de um trem...

Estremeci, mas ele nem notou.

Mesmo assim, prosseguiu, a má sorte continuou a persegui-lo. Fora enviado para a cidade cinzenta, mas é claro que se tratava de um engano. Eu descobriria, ele me garantiu, que todos os outros passageiros retornariam comigo na viagem de volta. Todos, menos ele. Estava seguro de que se dirigia a um lugar onde seu espírito crítico e refinado finalmente deixaria de se ultrajar com um ambiente hostil, um lugar onde encontraria "Reconhecimento" e "Apreciação". Enquanto isso, por eu estar sem os óculos, ouviria sua leitura da passagem sobre a qual Cyril Blellow se mostrara tão insensível...

Foi justamente nesse ponto que fomos interrompidos. Uma das brigas que fervilhavam no ônibus transbordou e, por um momento, houve grande desordem. Facas foram sacadas e, pistolas, disparadas, mas tudo pareceu estranhamente inócuo; ao acabar, vi-me ileso, embora em um assento diferente e com um novo companheiro. O homem parecia inteligente. Tinha um nariz bulboso e usava um chapéu-coco. Olhei pela janela. Estávamos voando tão alto, que tudo abaixo de nós se tornara inexpressivo. Entretanto não vi campos, rios ou montanhas, e tive a impressão de que a cidade cinzenta ainda preenchia todo o campo de visão.

— Parece o espectro de uma cidade — arrisquei-me —, e é isso que não consigo entender. As partes que visitei estavam tão vazias! Será que antes havia uma população maior?

— Não mesmo — respondeu meu novo companheiro. — O problema é que são muito briguentos.

Assim que alguém chega, instala-se em alguma rua, mas, antes das primeiras vinte e quatro horas, discute com o vizinho. A semana nem sequer terminou e já houve tantas discussões, que ele resolve se mudar. Talvez encontre a próxima rua vazia porque todos já brigaram com os vizinhos e se mudaram. Nesse caso, o novo morador se instala; se a rua está cheia, vai mais para longe. Contudo, ainda que fique, não fará diferença. Com certeza não demorará para acontecer outra briga, levando-o a seguir em frente mais uma vez. Finalmente ele se mudará para a periferia da cidade e construirá uma nova casa. Pois veja, é fácil construir aqui. Você só tem de *pensar* em uma casa, e ela aparece. É assim que a cidade continua crescendo.

— Deixando cada vez mais ruas vazias?

— Isso mesmo. Além disso, o tempo é meio estranho aqui. O local em que pegamos o ônibus fica a milhares de quilômetros do Centro Cívico, onde todos os recém-chegados chegam da Terra. Todas as pessoas com as quais você deparou moravam perto do ponto de ônibus. Mesmo assim, levaram séculos — do nosso tempo — para chegar lá, por meio de remoções graduais.

— E quanto aos que chegaram antes? Quer dizer, devem existir pessoas que vieram da Terra para a sua cidade há muito mais tempo.

— Sim, existem. Mas estão sempre se mudando, distanciando-se cada vez mais — tão distantes agora, que jamais pensariam em vir ao ponto de ônibus. Distâncias astronômicas! Há uma pequena elevação no terreno próximo ao lugar onde moro, e um sujeito lá tem um telescópio. Você pode ver as luzes de casas habitadas, em que moram os mais antigos, a milhões de quilômetros de distância. Milhões de quilômetros de nós e uns dos outros. De vez em quando, afastam-se ainda mais. É uma decepção. Pensei que chegaria a conhecer algumas personalidades históricas interessantes, mas não; estão longe demais.

— Elas chegariam ao ponto de ônibus a tempo, se decidissem partir?

— Teoricamente sim. Mas se encontram a anos-luz de distância. Além do mais, não desejariam fazê-lo a esta altura — não personalidades antigas, como Tamerlão, Gengis Khan, Júlio César ou Henrique V.

— Não desejariam?

— Exato. O mais próximo entre os antigos é Napoleão. Sabemos disso porque dois sujeitos fizeram a jornada para vê-lo. Começaram muito antes da minha chegada, claro, mas eu já estava por aqui quando regressaram. Levaram cerca de quinze mil anos do nosso tempo. Depois disso, conseguimos localizar a casa. Apenas um pequeno alfinete de luz e nada mais por perto em um raio de milhões de quilômetros.

— Mas chegaram lá?

— Chegaram. Napoleão tinha construído para si uma enorme casa em estilo imperial, com fileiras de janelas flamejantes de luz, embora só dê para ver um pequeníssimo ponto de luz de onde eu moro.

— Eles viram Napoleão?

— Viram. Foram até lá e bisbilhotaram por uma das janelas. Lá estava Napoleão.

— O que ele estava fazendo?

— Andando para cima e para baixo, para cima e para baixo o tempo todo; para cá e para lá, da esquerda para a direita, sem parar por um momento sequer. Os dois homens o observaram por cerca de um ano, e ele nunca descansou. Murmurava ininterruptamente: "Foi culpa do Soult; foi culpa do Ney; foi culpa da Josefina. Foi culpa dos russos, dos ingleses". O tempo todo assim. Sem descanso. Um homem baixinho, gordo e de semblante abatido, mas aparentemente incapaz de parar.

Pelas oscilações, eu percebia que o ônibus ainda estava em movimento, mas nada que confirmasse isso podia ser visto pelas janelas — nada além de um vazio acinzentado, acima e abaixo.

— Então a cidade continuará a crescer indefinidamente? — perguntei.

— Vai, a menos que alguém faça algo a respeito — respondeu o Inteligente.

— Como assim?

— Vou lhe contar um segredo: na verdade, esse é o meu trabalho no momento. Qual é o problema deste lugar? Não é o fato de as pessoas brigarem; isso é apenas a natureza humana, e mesmo na Terra sempre foi assim. O problema é que elas não têm nenhuma Necessidade. Basta alguém imaginar alguma coisa e logo obtém o que deseja (não com muita qualidade, claro). É por isso que é tão fácil se mudar para outra rua ou construir uma casa nova. Em outras palavras, não existe nenhuma base econômica adequada para a vida em comunidade. Se as pessoas precisassem de comércios reais, teriam de morar perto desses comércios. Se precisassem de casas reais, seriam obrigadas a morar próximo de construtores. É a escassez que possibilita a existência de uma sociedade. E é precisamente aqui que eu entro. Não faço esta viagem por razões de saúde. Na verdade, acho que não me adaptaria à vida lá em cima. No entanto, se pudesse retornar com alguma mercadoria *real* — qualquer coisa que alguém pudesse realmente morder, beber ou usar para se apoiar —, não demoraria para que nascesse uma demanda na nossa cidade. Eu abriria um pequeno negócio e teria algo para vender. Não levaria muito tempo para que pessoas viessem morar por perto: centralização. Duas ruas totalmente habitadas acomodariam as pessoas que agora estão espalhadas por um milhão de quilômetros quadrados de ruas vazias. Eu teria um bom lucro e também seria considerado um benfeitor público.

— Quer dizer que, se as pessoas *tivessem* de morar juntas, gradualmente aprenderiam a brigar menos?

— Bem, quanto a isso não sei. Atrevo-me a dizer que poderiam ficar um pouco mais tranquilas. Teríamos a chance de formar uma força policial, impor algum tipo de disciplina. De qualquer modo — neste ponto, ele diminuiu a voz —, seria *melhor*. Todo mundo admite isso. Mais pessoas juntas significa mais segurança.

— Segurança contra quê? — indaguei, mas meu companheiro me cutucou para ficar em silêncio. Reformulei a pergunta.

— Mas veja só — insisti —, se as pessoas conseguem tudo apenas imaginando, por que desejariam coisas *reais*, como você diz?

— Hã? Bem, elas gostariam de casas que realmente as protegessem da chuva.

— As casas atuais não as protegem?

— Claro que não. Como poderiam?

— Por que raio construí-las, então?

O Inteligente aproximou sua cabeça da minha:

— Mais uma vez, por segurança. Ao menos a sensação de segurança — murmurou. — *Agora* está tudo bem, mas mais tarde... Você sabe.

— O quê? — perguntei, quase involuntariamente diminuindo a voz para um sussurro.

Ele articulou silenciosamente os lábios, como se esperasse que eu entendesse leitura labial. Aproximei meu ouvido de sua boca:

— Fale — pedi.

— Vai escurecer em breve — o Inteligente murmurou.

— Você quer dizer que vai realmente anoitecer?

Ele assentiu com a cabeça.

— O que uma coisa tem a ver com a outra? — questionei.

— Ninguém quer estar fora de casa quando isso acontecer.

— Por quê?

Sua resposta foi tão furtiva, que tive de lhe pedir que repetisse várias vezes. Após sua repetição, já um pouco irritado (como tantas vezes ficamos com gente que sussurra), tornei a perguntar, esquecendo-me de diminuir o tom de voz:

— Quem são "eles"? — insisti. — O que teme que farão a você? Por que surgiriam quando está escuro? E que proteção uma casa imaginária poderia dar se houvesse algum perigo?

— Ei! — gritou o Homenzarrão. — Sobre o que vocês dois estão conversando? Parem de sussurrar, se não quiserem um bofetão. Estão espalhando boatos! É melhor calar a boca, entendeu, Ikey?[1]

— É verdade! Um escândalo. Deviam ser processados. Como é que eles entraram no ônibus? — rosnaram alguns passageiros.

Um homem gordo e barbeado, sentado no banco à minha frente, virou-se e dirigiu-se a mim com voz culta:

— Desculpe-me, mas não pude deixar de ouvir parte da conversa. É surpreendente como essas superstições

[1]Muito provavelmente, diminutivo pejorativo de Isaac [Isaque], além de ter se tornado um "apelido" para judeus. Há uma possível alusão ao criminoso judeu Isaac "Ikey" Solomons, que ficou famoso por roubar mercadorias. [N. E.]

primitivas persistem. Estão de brincadeira? Pelo amor de Deus! Não há um pingo de evidência de que esse crepúsculo se transformará em noite. Tem havido uma mudança completa de opinião a respeito disso nos círculos mais cultos. Surpreendo-me que não tenham ouvido falar sobre isso. Todos os pesadelos e as fantasias dos nossos antepassados estão sendo desfeitos. O que vemos agora nessa meia-luz suave e delicada é a promessa do amanhecer, o lento girar de uma nação em direção à luz. Uma rotação vagarosa e imperceptível, claro. "E não apenas pelas janelas orientais, com o raiar do dia, chega a luz."[2] Além disso, essa paixão por mercadorias "reais" da qual nosso amigo fala não passa de materialismo. É retrógrada, terrena. Um anseio pela matéria! Mas *nós* olhamos para essa cidade espiritual — porque, apesar de falhas, ela *é* espiritual — como um berçário no qual as funções criativas do homem, agora livres da gaiola da matéria, começam a testar suas asas. Um pensamento sublime.

Horas depois, ocorreu uma mudança. A luz começou a aumentar no ônibus. O acinzentado do lado de fora das janelas passou da cor de lama para madrepérola, depois para um azul suave e, em seguida, para um azul brilhante, que fez os olhos arderem. Parecíamos flutuar em puro vácuo. Não havia terras, nem Sol, nem estrelas à vista;

---

[2]O personagem de Lewis cita o poeta inglês Arthur Hugh Clough (1819-1861).

apenas o abismo radiante. Abri a janela ao meu lado. Um delicioso frescor entrou por um segundo, e então...

— Que diabos está fazendo? — gritou o Inteligente, inclinando-se bruscamente por cima de mim e fechando a janela. — Quer matar todos de frio?

— Dê-lhe uma bofetada — exigiu o Homenzarrão.

Olhei ao meu redor. Embora as janelas e cortinas estivessem fechadas, o ônibus transbordava de luz. Era uma claridade cruel. Estremeci diante dos rostos e das formas que me cercavam. Eram todos rostos fixos, cheios não de possibilidades, mas de impossibilidades. Alguns eram magros; outros, inchados; uns olhavam ao redor com ferocidade idiota; outros estavam irremediavelmente afogados em sonhos. Mas todos, de uma forma ou de outra, eram desfigurados e apagados. Havia a sensação de que podiam se desfazer em pedaços a qualquer momento se a luz ficasse mais forte. Então — havia um espelho na extremidade traseira do ônibus — enxerguei o meu próprio rosto.

E a luz continuou a aumentar.

Três

Surgiu um penhasco à nossa frente. Escuro e liso, afundava verticalmente abaixo de nós a tal ponto, que não conseguíamos ver o fundo. Subíamos cada vez mais. Por fim, o topo do penhasco tornou-se visível, uma fina linha verde-esmeralda, esticada como a corda de um violino. Agora planávamos por sobre o topo: sobrevoávamos um campo plano, coberto de grama, através do qual corria um vasto rio. Começávamos a perder altura: algumas das copas das árvores mais altas encontravam-se pouco mais de seis metros abaixo de nós. De repente, aterrissamos. Todos se puseram em pé. Xingamentos, empurrões, tumulto — uma imundície de vituperações me veio aos ouvidos enquanto os meus companheiros de viagem lutavam para sair. Pouco depois, todos já haviam saltado. Somente eu estava no ônibus quando, pela porta aberta, penetrou na leveza do silêncio o canto de uma cotovia.

Saí. A luz e o frescor que me encharcavam eram como os de uma manhã de verão, um ou dois minutos antes do nascer do Sol, mas com uma leve diferença: eu tinha a sensação de estar em um espaço maior, talvez em um *tipo* de espaço maior, do que aqueles que já conhecera — como se o céu estivesse mais longe e a extensão da planície verdejante fosse mais ampla do que poderia nesta pequena bola que é a Terra. Em certo sentido, era como se eu tivesse saído do ônibus em um lugar cuja vastidão fazia o próprio Sistema Solar parecer um espaço minúsculo. Nele, tive uma sensação de liberdade, mas também de exposição — possivelmente de perigo — que continuou a me acompanhar no decorrer de tudo que aconteceu em seguida. É a impossibilidade de comunicar esse sentimento ou mesmo de levar alguém a recordá-lo enquanto prossigo que me frustra ao tentar transmitir a verdade das coisas que vi e ouvi.

A princípio, naturalmente, minha atenção foi atraída pelos meus companheiros de viagem, ainda agrupados nas proximidades do ônibus, embora alguns deles começassem a caminhar pela paisagem com passos hesitantes. Perturbei-me ao vê-los. Agora que estavam iluminados, dei-me conta de que eram transparentes — totalmente transparentes quando postos entre mim e a luz, manchados e imperfeitamente opacos quando à sombra de alguma árvore. Na verdade, eram fantasmas: manchas em forma humana no resplendor daquele ambiente. Era possível lhes dar atenção ou ignorá-los à vontade, como se faz com a sujeira no vidro de uma janela. Reparei que a grama não se curvava sob os meus pés; nem sequer as gotas do orvalho eram perturbadas.

Então minha mente se concentrou e meu foco foi reajustado, de modo que vi todo o fenômeno ao contrário. Os homens eram como sempre foram, talvez como todos os homens que eu já havia conhecido. A diferença estava na luz, na grama e nas árvores. Eram feitas de alguma substância desconhecida, tão mais sólida que as coisas na nossa Terra que, em comparação, os homens não passavam de fantasmas.

Movido por um pensamento repentino, abaixei-me e tentei arrancar uma margarida que crescia junto aos meus pés. O caule não quebrava. Tentei torcê-lo, mas não consegui. Puxei-o a ponto de o suor escorrer na minha testa, até que a minha mão ficasse toda machucada. Mas a pequena flor era dura — não como a madeira ou o ferro, e sim como o diamante. Havia uma folha na grama, uma verde e fresca folha de faia, caída ao lado da margarida. Tentei pegá-la: meu coração disparou com o esforço, e acredito que consegui erguê-la um pouco. No entanto, tive de soltá-la imediatamente, pois era mais pesada que um saco de carvão. Enquanto me levantava, recuperando o fôlego com grandes arfadas e olhando para a margarida, notei que podia ver a grama não apenas entre os meus pés, mas *através* deles. Também eu era um fantasma. Quem me dará as palavras certas para comunicar o terror dessa descoberta? "Nossa!", pensei, "desta vez estou perdido!"

— Não gostei, não gostei! Este lugar me dá arrepios! — gritou alguém. O fantasma de uma mulher passou correndo por mim, regressando para o ônibus. Até onde sei, não saiu mais.

Inseguros, os demais permaneceram.

— Olá, senhor. Quando devemos voltar? — perguntou o Homenzarrão para o Motorista.

— Vocês nunca precisam voltar, a não ser que desejem — respondeu. — Fiquem tanto quanto quiserem.

Fez-se um silêncio constrangedor.

— Isso é simplesmente ridículo — disse uma voz perto do meu ouvido.

Um dos fantasmas mais quietos e educados aproximara-se de mim.

— Deve ter ocorrido algum engano — prosseguiu. — Qual é o sentido de permitir essa ralé flutuando por aqui o dia todo? Olhe para eles; é evidente que não gostam daqui. Estariam muito mais felizes em casa. Nem ao menos sabem o que fazer.

— Tampouco eu sei o que fazer — respondi. — E você? O que faz aqui?

— Eu? Vou me encontrar com alguém daqui a pouco. Estão me esperando. Não estou preocupado com isso. Mas é bastante desagradável, logo no primeiro dia, ver este lugar inteiramente lotado de turistas. Que droga! O objetivo de vir para cá é justamente evitar essa gente!

O fantasma se afastou de mim. Comecei a olhar ao redor. Apesar de sua referência a uma "multidão", a solidão era tão vasta que mal podia notar o grupo de fantasmas logo à minha frente. Por pouco não foram engolidos pelo verde e pela luz. No entanto, muito ao longe, conseguia ver o que se assemelhava a um grande conjunto de nuvens ou uma cordilheira. De vez em quando, podia avistar nessa formação florestas íngremes, vales longínquos e até cidades montanhosas, empoleiradas em cumes inacessíveis. Outras vezes, era tudo indistinto. A altura era tão grande, que o objeto jamais poderia caber em meu campo de visão. A luz pairava sobre o topo, de onde se inclinava e projetava longas sombras por trás de cada árvore da planície. Não havia qualquer mudança ou progressão com o passar das horas. A promessa — ou a ameaça — do nascer do Sol permanecia imóvel lá em cima.

Muito tempo depois, notei vultos vindo ao nosso encontro. Por serem brilhantes, vi-os enquanto ainda estavam muito distantes, e, a princípio, não sabia que eram pessoas. Quilômetro após quilômetro, eles se aproximavam. A terra tremia sob seus passos, enquanto seus pés fortes afundavam na relva molhada. Um leve vapor e um cheiro adocicado exalavam da grama onde pisavam e do orvalho que espalhavam. Alguns estavam nus; outros, vestidos. Mas os nus não pareciam menos enfeitados, e as vestimentas não disfarçavam a grandeza maciça dos músculos e a radiante suavidade do corpo daqueles que as trajavam. Alguns tinham barba, mas ninguém naquele grupo aparentava nenhuma idade específica. Às vezes vislumbramos, mesmo em nossa Terra, aquilo que não tem idade — a expressão séria no rosto de uma criança e a infância divertida no de um homem muito velho. O mesmo acontecia aqui.

As figuras se aproximavam cada vez mais. Sua proximidade me trazia certo desconforto. Dois dos fantasmas gritaram e correram para o ônibus. O resto de nós se aconchegou mais perto uns dos outros.

Quatro

À medida que as pessoas sólidas se aproximavam, observei que se moviam com ordem e determinação, como se cada uma delas tivesse marcado seu par em nossa companhia de sombras. "Haverá cenas dramáticas", pensei. "Talvez seja melhor não olhar." Assim, afastei-me, com o vago pretexto da exploração do lugar. Um bosque de cedros enormes à minha direita parecia atraente, e eu entrei. Andar se revelou difícil. A grama, dura como diamante para meus pés não substanciais, levou-me a sentir como se caminhasse sobre pedras laminadas; sofri dores como as da sereia de Hans Andersen.[1] Um pássaro voou com rapidez à minha frente, e eu o invejei. A ave pertencia àquele lugar e era tão real quanto a grama. Podia dobrar os caules e molhar-se com o orvalho.

---

[1]Referência ao clássico *A pequena sereia*, do dinamarquês Hans Christian Andersen (1805-1875).

Quase imediatamente fui seguido por aquele que tenho chamado de "Homenzarrão" — vou chamá-lo de "Grande Fantasma", para ser mais preciso. Ele, por sua vez, foi seguido por uma das pessoas resplandecentes.

— Não está me reconhecendo? — gritou o Resplandecente para o Fantasma, de modo que achei impossível não me virar e prestar atenção. O rosto do espírito sólido — era um daqueles que usavam vestimenta — me fez querer dançar, de tão alegre e estabelecido que era em seu aspecto jovial.

— Era só o que me faltava! — exclamou o Fantasma, incrédulo. — Só pode ser brincadeira! Não está certo, Len, você sabe. E o pobre Jack, hein? Você parece bastante satisfeito consigo mesmo, mas eu pergunto: e o coitado do Jack?

— Jack está aqui. Você o encontrará em breve, se ficar — garantiu o outro.

— Mas você o matou!

— É verdade. Mas está tudo bem agora.

— Tudo bem? Só se for para você. Mas e o pobre coitado, frio e morto a sete palmos do chão?

— Jack não está assim. Já disse: você o encontrará em breve. Inclusive, ele lhe envia saudações.

— O que eu gostaria de entender — demandou o Fantasma — é isto: por que você está aqui, todo satisfeito consigo mesmo — você, um assassino desgraçado —, enquanto eu durante todos esses anos vagava pelas ruas lá embaixo, em um lugar que parece mais um chiqueiro?

— A princípio, é difícil entender. Mas está tudo acabado agora. Em breve você ficará contente. Até lá, não há por que se preocupar com isso.

— Não devo me preocupar? Você não tem o mínimo de vergonha?

— Não. Não no sentido que você imagina. A questão é que não olho mais para mim mesmo; desisti de mim. Tive de desistir, depois do homicídio que cometi. Foi o que ganhei com o que aconteceu. E assim tudo começou.

— Pessoalmente — disse o Grande Fantasma, com uma ênfase que contradizia o significado comum da palavra —, pessoalmente acho que deveríamos trocar de lugar. É a minha opinião.

— Isso deve acontecer em breve — respondeu o outro. — Só pare de pensar no assunto por enquanto.

— Olhe para mim agora — disse o Fantasma, batendo no peito (mas a batida não fazia barulho). — Fui honesto durante toda a minha vida. Não digo que fui um homem religioso, nem que não tive falhas; longe disso. Mas dei o melhor de mim durante toda a minha vida. Dei o melhor de mim para todo mundo; eu era esse tipo de pessoa. Nunca exigi nada que não fosse meu por direito. Se queria uma bebida, pagava por ela; se recebia salário, é porque trabalhava por ele, entende? Eu era esse tipo de pessoa, e não dou a mínima se alguém pensa diferente.

— Seria muito melhor não discutir esse assunto agora.

— Como assim? Não estou discutindo. Só estou lhe dizendo o tipo de sujeito que eu era, entende? Não peço nada além dos meus direitos. Você acha que pode me desprezar por estar vestido assim, o que não acontecia quando trabalhava para mim, e que não passo de um pé-rapado. Mas eu tenho o direito de receber o mesmo que você.

— Ah, não. Não é tão ruim assim. Não recebi meus direitos. Do contrário, não estaria aqui. Você também não receberá os seus. Obterá algo muito melhor. Não tenha medo.

— Foi o que acabei de dizer. Não recebi meus direitos. Sempre dei o meu melhor e nunca fiz nada de errado. Não entendo: por que devo acabar em uma posição inferior à de um assassino desgraçado como você?

— Quem sabe onde você vai acabar? Só pare de reclamar e venha comigo.

— Por que você continua falando desse jeito? Só estou lhe contando o tipo de sujeito que eu sou. Só quero meus direitos. Não estou pedindo o sacrifício e a caridade de ninguém.

— Então peça. Peça pela Caridade Sacrificial. Tudo aqui funciona pelo pedido, e nada pode ser comprado.

— Isso deve ser muito conveniente para você, ouso dizer. Se escolheram deixar entrar um assassino desgraçado só porque fez cara de coitado antes de morrer, o problema é deles. Só que eu não me vejo entrando no mesmo barco, entende? Por que deveria? Sou um homem decente; se tivesse os meus direitos atendidos, já estaria aqui há muito tempo. Diga isso a eles.

O outro meneou a cabeça.

— Você não pode pensar assim. Desse jeito, seus pés nunca ficarão sólidos o bastante para você andar sobre a grama. Estaria exausto antes de chegarmos às montanhas. Além disso, você sabe que o que disse não é exatamente verdade — seu olhar reluzia de felicidade enquanto falava.

— O que não é verdade? — perguntou o Fantasma, emburrado.

— Você não foi um homem decente e não deu o melhor de si. Nenhum de nós fez isso. Por Deus! Isso não importa mais! Não há necessidade de entrar nesse assunto agora.

— Você...! — ofegou o Fantasma. — *Você* tem a coragem de *me* dizer que não fui um sujeito decente?

— Claro! Devemos entrar nesse assunto? Vou lhe dizer uma coisa: para início de conversa, assassinar o velho Jack não foi a pior coisa que eu fiz. Foi um ato impulsivo, e eu estava um tanto perturbado quando o matei. Mas eu matei você no meu coração, deliberadamente, por anos. Costumava ficar acordado à noite, pensando em como o mataria se tivesse a chance. Por isso é que fui enviado a você: para pedir o seu perdão e ser seu servo pelo tempo que precisar — ou até por mais tempo, se quiser. Entre os que trabalhavam para você, eu era o pior, mas todos os seus subordinados sentiam a mesma coisa. Você dificultava a nossa vida. Também dificultava a vida da sua esposa e a dos seus filhos.

— Cuide da sua vida, rapaz — respondeu o Fantasma. — Não é da sua conta, entendeu? Não aceito receber nenhum insulto seu por conta da minha vida particular.

— Não existem vidas particulares — garantiu o outro.

— Quer saber? — continuou o Fantasma. — Pode ir embora. Você é indesejado. Posso ser apenas um homem pobre, mas não vou fazer as pazes com um assassino, e muito menos com um que tenta me dar lições de moral. Dificultei sua vida e a de ralés como você? Se pudéssemos voltar, eu te ensinaria o que é trabalho de verdade.

— Venha e me mostre agora — respondeu o outro, com uma risada abafada na voz. — Será um prazer ir às montanhas, mas haverá muito trabalho.

— Eu não iria com você! Nem pensar!

— Não recuse. Você nunca chegará lá sozinho. E fui eu o escolhido para levá-lo.

— Então esse é o truque? — gritou o Fantasma, evidentemente amargurado, e, ainda assim, com o que me parecia ser uma espécie de triunfo em sua voz. Tentaram persuadi-lo, mas ele podia recusar a proposta. Isso lhe parecia uma vantagem. — Sabia que havia alguma falcatrua. É tudo picaretagem, uma grande picaretagem. Diga a eles que eu não vou, entendeu? Prefiro ser condenado a ir com você. Vim aqui para obter meus direitos, entende? Não para choramingar e pedir misericórdia, agarrado em seu manto. Se eles são bons demais para me aceitar sem você, então vou para casa.

De certo modo, o Fantasma estava feliz agora que podia fazer ameaças:

— É isso que eu vou fazer — repetiu. — Vou para casa. Não vim aqui para ser tratado como cachorro. É isto que vou fazer: vou para casa. Vocês todos que se explodam...

No fim, ainda resmungando, mas também choramingando um pouco enquanto traçava seu caminho por sobre a grama afiada, ele se foi.

Cinco

Por um momento houve silêncio sob os cedros, e depois ele foi quebrado — *crack*, *crack*, *crack*. Dois leões com patas de veludo surgiram com um salto no espaço aberto. Com os olhos fixos um no outro, começaram um solene ritual de brincadeiras. Suas jubas pareciam ter sido mergulhadas no rio, cujo ruído eu podia ouvir de perto, embora ele estivesse oculto pelas árvores. Cansado de estar sozinho, fui à procura da água e, depois de passar por uma mata espessa e florida, consegui achá-la. Os arbustos quase alcançavam a margem do rio, tão suave como o Tâmisa, mas com rápidas correntes, como um riacho de montanha. No lugar onde as árvores pendiam sobre o leito, a água tinha um tom verde-claro — tão cristalina que podíamos contar as pedras no fundo. Próximo a mim, vi outro Resplandecente conversando com um fantasma. Era o mesmo fantasma gordo e de voz culta que se dirigira a mim no ônibus, e ele parecia usar polainas.

— Meu caro jovem, estou encantado em vê-lo. Outro dia, enquanto conversava com o seu pai, me questionei sobre o seu paradeiro — dizia ele ao Espírito desnudo, cuja brancura era de um brilho ofuscante.

— Você não o trouxe? — perguntou o Espírito.

— Não. Ele mora longe do ônibus e, para ser franco, tem agido de um modo um tanto excêntrico ultimamente. Um pouco difícil. Perdendo o controle. Nunca esteve preparado para fazer grandes esforços, não é? Se você se lembra, seu pai costumava ir dormir quando eu e você começávamos a falar de algum assunto sério. Ah, Dick, nunca esquecerei algumas das conversas que tivemos! Espero que tenha mudado um pouco de opinião desde então. Você ficou um pouco bitolado no fim da vida, mas, a esta altura, creio que já tenha voltado a ampliar seu horizonte.

— O que quer dizer?

— É óbvio agora que você não tinha razão, não é? Ora, caro jovem, você começou a acreditar em um Céu e um Inferno literais!

— Mas eu não estava certo?

— Em um sentido espiritual, sim. Certamente. Ainda acredito neles dessa maneira. Continuo, caro jovem, à procura do Reino. Mas nada de supersticioso ou mitológico...

— Desculpe-me, mas... onde você imagina que estava?

— Ah, entendo! Você quer dizer que a cidade cinzenta, com sua esperança contínua do alvorecer (todos devemos viver pela esperança, não?), com sua possibilidade de progresso indefinido é, em certo sentido, o Céu, se tão somente tivermos olhos para ver? Que ideia brilhante!

— Não foi o que eu quis dizer, nem um pouco. Por acaso você não sabe onde estava?

— Agora que você tocou no assunto, acho que nunca demos um nome ao lugar. Como vocês o chamam?

— Nós o chamamos de "Inferno".

— Não há necessidade de ser profano, meu jovem. Posso não ser muito ortodoxo, no seu sentido da palavra, mas sinto que esses assuntos devem ser discutidos de forma simples, séria e reverente.

— Discutir o Inferno com *reverência*? Estou falando sério. Você estava no Inferno — apesar de que, se decidir não voltar, poderá chamá-lo de "Purgatório".

— Prossiga, caro jovem, prossiga. Isso é *muito* a sua cara. Sem dúvida você me dirá qual acha que é a razão de eu ter sido enviado para lá. Não ficarei com raiva.

— Você não sabe? Foi enviado para lá porque é um apóstata.

— Está falando sério, Dick?

— Totalmente.

— Isso é pior do que eu esperava. Você acha mesmo que as pessoas são penalizadas por terem opiniões honestas? Mesmo supondo, a título meramente argumentativo, que essas opiniões estejam equivocadas?

— Você realmente acredita que não existem pecados de intelecto?

— Sim, Dick. Existem. Existem preconceitos disfarçados de ciência, desonestidade intelectual, timidez e estagnação mental. Mas opiniões honestas defendidas sem medo não são pecados.

— Sei que costumávamos falar dessa maneira. Foi o que fiz até o fim da minha vida, quando me tornei o que você chama de "bitolado". Tudo gira em torno do significado de opiniões honestas.

— Sem dúvida, minhas opiniões eram não somente honestas, mas heroicas. Eu as afirmava sem medo. Quando a doutrina da Ressurreição deixou de se enquadrar nas faculdades críticas com que Deus me dotou, rejeitei-a abertamente. Preguei meu famoso sermão. Redefini cada capítulo. Assumi todos os riscos.

— Quais riscos? Que outro fim isso tudo teria, senão o que realmente teve: popularidade, venda de livros, diversos convites e finalmente um bispado?

— Dick, isso é indigno de você. O que está insinuando?

— Amigo, não estou insinuando nada. Veja, agora eu *sei*. Sejamos francos: nossa opinião não era sincera. Simplesmente tivemos contato com determinada corrente de ideias e mergulhamos nela, já que nos parecia moderna e satisfatória. Na universidade, começamos a escrever automaticamente ensaios que obtinham boas notas e a dizer o tipo de coisa que recebia aplausos. Honestamente, em que momento da nossa vida enfrentamos, a sós, a única pergunta para a qual tudo converge: e se o Sobrenatural realmente existir? Quando foi que resistimos, por um momento que fosse, à perda da nossa fé?

— Se isso pretende ser um esboço da gênese da teologia liberal como um todo, respondo que não passa de uma difamação. Você insinua que homens como...

— Não tem nada a ver com nenhuma generalidade, nem com qualquer outra pessoa além de nós dois. Por amor à sua própria alma, lembre-se: você sabe que estávamos jogando com dados viciados. Não *queríamos* que o outro lado estivesse certo. Temíamos uma salvação simplória, um rompimento com o espírito da época, o ridículo e, acima de tudo, a própria realidade de medos e esperanças espirituais.

— Longe de mim negar que os jovens não possam cometer erros. Seu pensamento pode muito bem ser influenciado pelos modismos de sua época. Mas essa discussão não é sobre como as opiniões são formadas. A questão é que as minhas opiniões eram honestas, expressas com sinceridade.

— Claro! Largamo-nos à deriva, sem resistência, sem oração, aceitando toda solicitação quase inconsciente dos nossos desejos. Por isso chegamos a um ponto em que não mais aceitávamos a Fé. Assim como um homem ciumento, à deriva e sem resistência chega ao ponto de acreditar em mentiras sobre o seu melhor amigo, e um bêbado chega ao ponto de acreditar, por um momento, que mais um copo não lhe fará mal. Crenças são sinceras no sentido de ocorrerem como fenômenos psicológicos na mente do ser humano. Se é isso que você quer dizer com "sinceridade", então as opiniões em geral são sinceras, como as nossas eram. Mas erros sinceros nesse sentido não são inocentes.

— Você está perto de justificar a Inquisição!

— Por quê? Quer dizer que, se a Idade Média errou ao seguir em uma direção, não podemos errar se seguirmos na direção oposta?

— Ora, isso é extremamente interessante — disse o Fantasma Episcopal. — É um ponto de vista a ser considerado, sem dúvida. Neste meio-tempo...

— Não existe "meio-tempo" — objetou o outro. — Acabou. Não é mais um jogo agora! Falei do passado, do seu e do meu, somente para que você o abandonasse para sempre. Basta um puxão, e o dente estará arrancado! Você pode recomeçar como se nada de errado tivesse acontecido. Branco como a neve. Tudo isso é verdade, e você sabe. Ele está em mim para operar esse poder em você. Além do mais, fiz uma longa jornada para encontrá-lo. Você viu o Inferno e agora está diante do Céu. Deseja se arrepender e crer, neste exato momento?

— Não sei se entendi bem o seu argumento — respondeu o Fantasma.

— Não estou argumentando nada! — retrucou o Espírito. — Estou apenas lhe dizendo que se arrependa e creia.

— Mas eu já acredito, meu jovem! Podemos não estar perfeitamente de acordo, mas você está muito enganado a meu respeito se não percebeu que a minha religião é uma coisa muito real e preciosa para mim.

— Muito bem. Você acredita em *mim*? — disse o outro, como se mudasse de estratégia.

— Em que sentido?

— Você virá comigo para as montanhas? Vai doer a princípio, até que seus pés endureçam. A realidade é dura para os pés das sombras. Mas está disposto a vir?

— Veja, já é um começo. Estou totalmente pronto para considerar a possibilidade. É claro que devo exigir garantias... De que você me levará, por exemplo, para um lugar onde terei mais utilidade, mais espaço para os talentos que Deus me deu, uma atmosfera de investigação irrestrita. Em suma, tudo o que se entende por civilização e... é... vida espiritual.

— Não — declarou o outro. — Não há como prometer nada disso. Nenhuma esfera maior de utilidade, pois lá ninguém precisa de você. Nenhum espaço para os seus talentos, apenas perdão por tê-los pervertido. Nenhuma esfera de investigação, pois eu o levarei para a terra não de perguntas, mas de respostas, e você verá a face de Deus.

— Ah! Mas todos devemos interpretar essas belas palavras à nossa maneira! Para mim, não existe uma resposta definitiva. O vento livre da investigação deve *sempre* continuar soprando na mente, não? "Julgai todas as coisas..." Viajar com esperança é melhor do que chegar.

— Se isso fosse uma verdade comprovada, como alguém poderia viajar com esperança? Não haveria o que esperar!

— Mas você mesmo deve sentir como se existisse algo de sufocante na ideia de finalidade: estagnação. O que, meu caro jovem, destrói mais a alma do que a estagnação?

— Você pensa assim porque até agora só experimentou a verdade com o intelecto abstrato. Vou levá-lo ao lugar onde você poderá saboreá-la como o mel e ser abraçado por ela como por um noivo. Sua sede será saciada.

— Na realidade, não percebo em mim nenhuma sede por uma verdade pronta, que põe fim à atividade intelectual da forma como você parece descrever. Terei liberdade como Pensador, Dick? Você sabe que devo insistir nesse ponto.

— Sim, mas como um homem que é livre para beber. Não livre para continuar com sede.

O Fantasma pareceu refletir por um momento.

— Não consigo entender aonde você quer chegar — afirmou.

— Ouça! — ordenou o Espírito Branco. — Você já foi criança. Já soube para que serve a investigação. Houve uma fase em que você fazia perguntas por querer respostas e ficava feliz ao encontrá-las. Agora você pode se tornar essa criança novamente.

— Ah, mas, quando me tornei homem, desisti das coisas de menino.

— Você afundou demais no erro. A sede foi feita para a água; a investigação, para a verdade. O que você há pouco chamou de "liberdade" como pensador não corresponde em nada aos fins para os quais a inteligência foi dada, como a masturbação não tem nada a ver com o casamento.

— Mesmo se não podemos ser reverentes, não há necessidade de sermos obscenos. A sugestão de que, na minha idade, eu devo voltar à mera curiosidade fatual da infância me parece absurda. De qualquer forma, essa concepção de perguntas e respostas sobre o pensamento se aplica apenas a questões de fato. Questões religiosas e especulativas certamente estão em um nível diferente.

— Não sabemos nada de religião aqui, pensamos apenas em Cristo. Não sabemos nada de especulação. Venha e veja. Vou levá-lo ao Fato Eterno, ao Pai de todas as demais realidades.

— Devo objetar fortemente à descrição de Deus como um "fato". Valor Supremo com certeza seria uma descrição menos inadequada. É difícil que...

— Você ao menos acredita que Deus existe?

— Existe? O que a Existência significa? Você *continua* sugerindo algum tipo de realidade estática e pronta, que está, por assim dizer, "lá", com a qual nossa mente precisa simplesmente se conformar. Esses grandes mistérios não podem ser abordados dessa maneira. Se existisse uma coisa dessas (e não me interrompa agora, meu caro jovem), francamente, eu não me interessaria por ela. Não teria significado *religioso*. Deus, para mim, é algo puramente espiritual. O espírito da doçura, da luz, da tolerância e... é... do serviço, Dick, do serviço. Não podemos nos esquecer disso.

— Se a sede da Razão está realmente morta... — disse o Espírito, e depois parou, como se para refletir. Então, de repente, perguntou: — Você ainda consegue ao menos desejar a felicidade?

— A felicidade, meu caro Dick — disse o Fantasma, placidamente —, a felicidade, como você verá quando for mais velho, jaz no caminho do dever. O que me faz lembrar de... Ai, meu Deus, quase me esqueci! É claro que não posso ir com você. Preciso voltar na próxima sexta-feira para apresentar um artigo acadêmico. Lá embaixo, temos uma pequena Sociedade Teológica. Ah! Sim! Há muita vida intelectual. Não de alta qualidade, talvez. Percebe-se certa falta de aderência — certa confusão de espírito. É aí que eu posso ter alguma utilidade para eles. Há até alguns episódios lamentáveis de ciúmes... Desconheço o porquê, mas os temperamentos parecem menos controlados do que costumavam ser. Ainda assim, não se deve esperar muito da natureza humana. Sinto que posso fazer um ótimo trabalho entre eles. Mas você nunca me perguntou sobre o que é o meu artigo! Nele exploro o texto sobre crescer até a medida da estatura de Cristo, elaborando uma ideia que, tenho certeza, seria do seu interesse. Vou mostrar como as pessoas se esquecem sempre de que Jesus — neste ponto, o Fantasma se inclina — morreu relativamente jovem. Sabe, ele teria superado alguns de seus pontos de vista iniciais, caso tivesse vivido mais tempo; e isso teria acontecido, com um pouco mais de tato e paciência! Vou pedir ao meu público que considere quais seriam suas opiniões maduras. Uma pergunta profundamente interessante. Que cristianismo diferente poderíamos ter se o Fundador tivesse atingido sua plena estatura! Na conclusão, demonstrarei como isso aprofunda o significado da crucificação. Sentimos pela primeira vez o desastre que foi o acontecimento: que desperdício trágico... Tantas promessas encurtadas! Ah! Você já precisa ir? Eu também. Adeus, meu caro jovem. Foi um grande prazer, um encontro muito estimulante e provocativo. Adeus, adeus, adeus.

O Fantasma acenou com a cabeça e sorriu para o Espírito com um sorriso clerical radiante — ou com a melhor imitação que aqueles lábios insubstanciais conseguiam —, e depois se afastou, cantarolando baixinho para si: "Cidade de Deus, quão vasta e profunda...".

Não o observei por muito tempo, entretanto, uma vez que me ocorreu uma nova ideia. "Se a grama é dura como pedra", pensei, "a água não será forte o suficiente para que eu caminhe por cima dela?" Tentei com um pé, e não afundei. No instante seguinte, pisei ousadamente sobre a superfície. Caí de cara no mesmo instante e acabei com alguns machucados desagradáveis. Havia me esquecido de que a água, embora sólida para mim, continuava em movimento rápido. Ao me recompor, encontrava-me a pouco menos de trinta metros de distância do ponto onde eu entrara. Mas isso não me impediu de andar contra a correnteza; apenas me fez perceber que, mesmo andando bem depressa, progredia muito pouco.

Seis

A pele fria e macia da água brilhante estava deliciosa para os meus pés, e eu andei sobre ela por cerca de uma hora, completando talvez algumas centenas de metros. Então as coisas se tornaram difíceis. A corrente ficou mais rápida. Grandes flocos ou ilhas de espuma desciam em minha direção, ferindo-me os calcanhares como pedras se eu não saísse da frente. A superfície tornou-se irregular, arredondando-se em encantadoras cavidades e saliências de água e distorcendo a aparência dos seixos no fundo do rio. Isso me fez perder o equilíbrio, de modo que tive de correr para a praia. Contudo, como as margens do rio eram formadas por grandes pedras planas, continuei minha caminhada sem machucar muito os pés. Um ruído imenso, porém adorável, vibrava pela floresta. Horas depois, fiz uma curva e descobri do que se tratava.

Diante de mim, encostas verdejantes formavam um amplo anfiteatro, cercando um lago espumoso e pulsante, no qual, sobre rochas multicoloridas, jorrava uma cachoeira. Ali, mais uma vez, percebi que algo acontecera com os meus sentidos, que agora recebiam impressões que normalmente excediam sua capacidade. Na Terra, essa cachoeira não poderia ter sido percebida como um todo; era muito grande. Seu som aterrorizaria a floresta num raio de trinta quilômetros. Ali, após o choque inicial, minha sensibilidade absorveu tanto a cachoeira quanto o barulho, como um navio bem-construído ao passar por uma enorme onda. Exultei! O ruído, embora imenso, era como o riso dos gigantes — como o festejo de um grupo inteiro de gigantes, rindo, dançando, cantando, deleitando-se com suas obras.

Perto do local onde a cachoeira mergulhava no lago crescia uma árvore. Molhada pelo salpicar da água, semivelada por arcos de espuma e reluzindo com os brilhantes e inumeráveis pássaros que voavam entre seus galhos, ela se erguia em muitas e enormes formas de folhagem ondulada, como uma nuvem de feno. Em todos os cantos, maçãs de ouro brilhavam por entre as folhas.

De repente minha atenção foi capturada por uma curiosa aparição. Um espinheiro, a menos de vinte metros de distância, parecia se comportar de maneira estranha. Então vi que não era o arbusto, mas alguma coisa próxima a ele. Por fim, percebi que era um dos Fantasmas. Estava agachado, parecendo esconder-se de algo além do arbusto, e olhava para mim, fazendo sinais. Continuou gesticulando para que eu me abaixasse. Como não conseguia ver o perigo, permaneci imóvel.

Logo o Fantasma, depois de olhar em todas as direções, aventurou-se além do espinheiro. Não conseguia andar muito rapidamente por causa da grama torturante sob os seus pés, mas era óbvio que caminhava o mais rápido possível, direto para uma outra árvore. Ali parou outra vez, recostando-se contra o tronco enquanto se escondia. Como a sombra dos galhos agora o cobria, pude vê-lo melhor: era meu companheiro de chapéu-coco, aquele a quem o Grande Fantasma chamara de Ikey. Depois de ofegar junto à árvore por cerca de dez minutos e fazer um reconhecimento cuidadoso do solo à sua frente, ele correu para a outra árvore o mais rápido que pôde. Assim, com esforço e cautela infinitos, levou cerca de uma hora para chegar à grande Árvore. Isto é, a pouco menos de dez metros dela.

Neste ponto, aquietou-se. Ao redor da Árvore crescia um cinturão de lírios, algo que, para o Fantasma, representava um obstáculo intransponível. Andar *sobre* os lírios seria o mesmo que pisar em uma mina terrestre. Deitou-se e tentou rastejar entre as flores, mas eram próximas demais umas das outras e não se curvavam. O tempo todo, ele parecia estar assombrado pelo medo de ser descoberto. A cada sussurro do vento, parava e encolhia-se. Em uma das vezes, só de ouvir o cantarolar de um pássaro, voltou com esforço para o seu último local de cobertura.

Mas depois o desejo tornou a persegui-lo, e ele se arrastou mais uma vez para a Árvore. Vi-o apertar as mãos e contorcer-se na agonia de sua frustração.

O vento parecia ficar mais forte. Vi o Fantasma torcer as mãos e levar o polegar à boca; sem dúvidas, ele estava cruelmente prensado entre dois caules de lírios quando a brisa os balançou. A seguir, ocorreu uma verdadeira rajada. Os galhos da Árvore começaram a chacoalhar. Momentos depois, um punhado de maçãs caiu sobre o Fantasma e ao seu redor, levando-o a um grito estridente. De súbito, porém, aquietou-se. Tive a impressão de que o pesado fruto dourado que caíra sobre ele o havia ferido. Certamente foi por isso que, durante alguns minutos, não conseguiu se levantar. Ficou se queixando, cuidando dos ferimentos. Mas logo voltou ao trabalho, pois pude vê-lo tentando encher febrilmente os bolsos com maçãs. Naturalmente, foi inútil. Era nítido como sua ambição aos poucos desfalecia. Primeiro desistiu da ideia de encher um bolso: duas maçãs seriam o suficiente. Depois desistiu da ideia de duas maçãs: pegaria apenas o maior fruto. Então também desistiu dessa última ideia e, agora, procurava levar o menor fruto. Tentava descobrir se encontrava uma maçã pequena o suficiente para carregar.

O incrível foi que ele conseguiu. Lembrando-me do peso daquela folha que tentara levantar, não pude deixar de admirar essa criatura infeliz quando a vi se levantar e cambalear, segurando nas mãos a menor das maçãs.

Capengava por causa das dores, e o peso o fazia curvar ainda mais. Mesmo assim, centímetro após centímetro, ainda se valendo de cada pequeno esconderijo à sua frente, partiu em sua *via dolorosa* para o ônibus, carregando sua tortura.

— Tolo. Solte isso! — ordenou uma grande e repentina voz, diferente de qualquer outra que ouvira até então. Era uma voz estrondosa, porém límpida. Com convicção e espanto, soube que era a própria cachoeira falando, pois agora via que, embora não deixasse de parecer uma cachoeira, também era um anjo reluzente que estava, como alguém crucificado, reclinado contra as rochas, derramando-se perpetuamente e fluindo para a floresta, com grande alegria.

— Tolo — insistiu o anjo —, solte isso! Você não pode levá-lo de volta. Não há lugar para esse fruto no Inferno. Fique aqui e aprenda a comer essas maçãs. As próprias folhas e as hastes da grama terão prazer em lhe ensinar.

Se o Fantasma ouviu ou deixou de ouvir, não sei. De qualquer forma, depois de fazer uma pausa de alguns minutos, preparou-se novamente para enfrentar suas agonias e continuou a caminhar com cautela ainda maior, até que o perdi de vista.

Sete

Embora tenha observado com alguma complacência os infortúnios do Fantasma de Chapéu, descobri que não conseguia suportar a presença do Gigante da Água ao ficar a sós com ele. O Gigante parecia não me dar atenção, mas fiquei constrangido. Acredito que os meus movimentos denotavam certa indiferença enquanto me afastava daquelas pedras planas, indo rio abaixo novamente. Eu estava começando a me sentir cansado. Olhando para os peixes prateados que se lançavam sobre o leito do rio, desejei muito que a água fosse permeável também a mim. Adoraria poder mergulhar.

— Pensando em voltar? — inquiriu uma voz próxima de mim.

Virei-me e vi um fantasma alto, recostado contra uma árvore, mascando um charuto fantasmagórico. Era o espírito de um homem magro, endurecido, cabelos grisalhos e voz rouca, mas instruída — o tipo de homem que instintivamente sempre considerei confiável.

— Ainda não sei — respondi. — E você?

— Sim. Acho que vi tudo que há para ver — ele replicou.

— Não pensa em ficar?

— É tudo propaganda — argumentou. — É claro que nunca houve nenhuma dúvida sobre a nossa estadia. Você não pode comer o fruto e não pode beber a água. Além disso, leva uma eternidade para caminhar sobre a grama. Um ser humano não conseguiria viver aqui. Toda essa conversa de ficar não passa de um golpe publicitário.

— Por que veio, então?

— Ah, não sei! Só para dar uma olhada. Sou do tipo que gosta de ver as coisas por si próprio. Por onde vou, sempre averiguo qualquer coisa que está sendo elogiada. Em minha viagem para o Oriente, visitei Pequim. Em minha viagem para...

— Como era Pequim?

— Nada de especial. Somente uma maldita muralha dentro da outra. Não passa de uma armadilha para turistas. Já andei por quase todo lugar: Cataratas do Niágara, Pirâmides, Salt Lake City, Taj Mahal...

— Como foi viajar para lugares assim?

— Honestamente, não valeu a pena. Não passam de acrobacias publicitárias, orquestradas pelas mesmas pessoas. Existe um complô, um Complô Mundial, que apenas pega um Atlas e decide onde haverá um Ponto Turístico. Não importa a escolha: qualquer coisa serve, desde que a publicidade seja devidamente gerenciada.

— E você morou... *lá embaixo*, na Cidade, por um tempo, certo?

— No que chamam de Inferno? Sim. Outro fiasco. Levam você a acreditar que verá fogo abrasador, demônios e todo tipo de pessoas interessantes gritando em prisões — Henrique VIII e gente do tipo —, só que, ao ir para lá, percebe que não passa de uma cidade qualquer.

— Prefiro aqui em cima — comentei.

— Particularmente, não vejo o porquê de tanto alarde sobre o assunto — disse o Fantasma Cínico. — É como qualquer outro parque, e muito desconfortável.

— Parece haver uma ideia de que, se alguém ficar aqui, acabará... bem, mais sólido... mais adaptado.

— Já ouvi falar — disse o Fantasma. — A mesma mentira de sempre. Me contaram esse tipo de coisa a vida toda. Na infância, disseram-me que, se eu fosse um bom menino, seria feliz. E na escola me disseram que o latim ficaria mais fácil com o tempo. Depois, após um mês de casado, algum tolo me disse que, embora o relacionamento fosse difícil no começo, com Tato e Paciência eu logo "sossegaria" e passaria a gostar da vida conjugal! Além do mais, no decorrer das duas guerras não ouvimos sobre os bons tempos que viriam se tão somente agíssemos como garotos comportados e partíssemos para levar um tiro? É claro que vão jogar o mesmo velho jogo aqui, se alguém for tolo o bastante para lhes dar ouvidos.

— Mas quem são "eles"? Este lugar não pode ser administrado por alguém diferente?

— Sob nova direção? Não aposte nisso! *Nunca* há uma nova direção. Você sempre encontrará o mesmo Círculo de Poder. Sei tudo sobre isso, meu caro. A boa e dócil Mãe vem ao seu quarto e consegue extrair tudo que deseja saber a seu respeito. Mas você sempre acaba descobrindo que ela e o Pai são, na verdade, a mesma organização. Não descobrimos que ambos os lados em todas as guerras são gerenciados pelas mesmas Empresas de Armamento? Ou pela mesma Firma que está por trás dos judeus, do Vaticano, dos ditadores, das democracias e tudo o mais? Tudo isso aqui em cima é administrado pelas mesmas pessoas que gerenciam a Cidade. Estão apenas zombando de nós.

— Pensei que estivessem em guerra.

— Claro que pensou. Essa é a versão oficial. Mas quem já viu qualquer prova disso? Ah! Eu sei que é isso que eles *falam*! Só que, se há mesmo uma guerra, por que não fazem algo a respeito? Você não percebe que, se a versão oficial fosse verdadeira, os camaradas daqui de cima atacariam a Cidade e a exterminariam? Força eles têm. Se quisessem resgatar todos *nós*, poderiam fazê-lo. Mas é óbvio que a última coisa que desejam é acabar com essa suposta "guerra". O jogo não pode parar.

Esse relato da questão pareceu-me desconfortavelmente plausível. Fiquei sem resposta.

— De qualquer forma — prosseguiu o Fantasma —, quem quer ser resgatado, afinal? Que diabos existe para fazer *aqui*?

— Ou lá...? — retruquei.

— Sem dúvida — concordou o Fantasma. — De uma forma ou de outra, eles pegam você.

— O que você faria se tivesse a opção? — perguntei.

— Ei-lo — respondeu o Fantasma, com certo ar de triunfo. — Você me pede para que *eu* faça um plano. Cabe à Gerência encontrar algo que não nos aborreça, não? É o trabalho deles. Por que devemos fazer isso? É aqui que os clérigos e moralistas invertem as coisas. Insistem para que *nós mesmos* nos transformemos. Mas, se aqueles que dirigem o espetáculo são tão espertos e poderosos, por que não encontram algo que combina com o seu público? Toda essa conversa fiada sobre ficar cada vez mais sólido para que a grama não machuque o seu pé. Ora! Vou lhe dar um exemplo: o que você diria se fosse a um hotel onde os ovos estivessem estragados e, ao reclamar com o Chefe, em vez de pedir desculpas e mudar de fornecedor, ele apenas lhe dissesse que, se tentasse, com o tempo você passaria a gostar de ovos estragados?

Após um curto silêncio, o Fantasma prosseguiu:

— Em todo caso, é melhor eu ir. Você vem comigo?

— Não me parece fazer muito sentido acompanhá-lo — respondi. Uma grande depressão tomara conta de mim. — Além disso, pelo menos não está chovendo aqui.

— Por enquanto — disse o Fantasma Cínico. — Mas eu nunca vi uma manhã brilhante que não tenha trazido chuva mais tarde. Inclusive, quando chover aqui...!

Já pensou nisso? Não lhe ocorreu que, com o tipo de água que eles têm neste lugar, toda gota de chuva lhe fará buracos como balas de uma metralhadora? É uma forma de zombarem de nós, entendeu? Primeiro, tentam nos fascinar com um tipo de solo em que não conseguimos andar e com uma água que não conseguimos beber. Em seguida nos enchem de furos. Mas *eu* não serei enganado dessa maneira!

Pouco depois, foi-se embora.

Oito

Sentei-me em uma pedra ao lado do rio; em toda a minha vida, nunca havia me sentido tão infeliz. Até então, não me ocorrera duvidar das intenções do Povo Sólido, nem questionar a bondade intrínseca de sua terra, mesmo que fosse um lugar onde eu não pudesse permanecer por muito tempo. Na verdade, uma vez já me havia ocorrido que, se as Pessoas Sólidas fossem tão benevolentes como ouvia alguns alegarem, poderiam ter feito alguma coisa para ajudar os moradores da Cidade — algo mais do que os encontrar na planície. Uma explicação terrível me veio à mente: e se todo o objetivo da viagem fosse zombar dos Fantasmas?

Mitos e doutrinas horríveis se agitaram em minha memória. Pensei em como os deuses haviam punido Tântalo.[1]

[1]Rei mitológico da Frígia e filho de Zeus, sentenciado a não poder saciar a fome e a sede por toda a eternidade.

Pensei na passagem do livro de Apocalipse em que a fumaça do Inferno sobe para sempre à vista dos espíritos abençoados.[2] Recordei-me de como o pobre Cowper, sonhando que não estava fadado à perdição, soube imediatamente que o sonho era falso e exclamou: "Essas são as flechas mais afiadas na aljava de Deus".[3] Da mesma forma, o que o Fantasma Cínico dissera sobre a chuva era claramente verdade. Até o gotejo de um galho poderia rasgar-me em pedaços. Eu não tinha pensado nisso antes. Quão facilmente poderia ter me aventurado sob o jorrar da cachoeira!

A sensação de perigo, que nunca esteve totalmente ausente desde que saí do ônibus, despertou com aguçada urgência. Olhei ao redor, para as árvores, para as folhas e para a cachoeira falante; começaram a parecer insuportavelmente sinistras. Como flechas, insetos brilhantes disparavam de um lado para o outro. Se um deles voasse em minha direção, não me atravessaria? Se pousasse na minha cabeça, não me esmagaria contra a terra? O terror sussurrou no meu ouvido: "Este não é um lugar para você". Lembrei-me também dos leões.

Sem um plano muito definido, levantei-me e comecei a me afastar do rio, em direção ao lugar onde as árvores

---

[2]Cf. Apocalipse 14:11; 19:3.

[3]William Cowper, poeta inglês do século XVIII. Sua poesia era marcada pela melancolia, pelo senso de exílio e pelo temor da condenação eterna.

cresciam mais próximas umas das outras. Ainda não tinha decidido se retornaria para o ônibus, mas queria evitar espaços abertos. Se ao menos pudesse encontrar um indício de que aquele era um local em que um Fantasma realmente poderia ficar, de que a opção não era apenas uma comédia cruel, eu não retornaria. Enquanto isso, prossegui cautelosamente, mantendo um olhar atento. Cerca de meia hora depois, cheguei a uma pequena clareira com alguns arbustos no centro. Ao parar, me perguntando se ousaria atravessá-la, percebi que não estava sozinho.

Um fantasma mancava pela clareira — o mais rápido que podia naquele solo desigual —, olhando por sobre o ombro como se alguém o perseguisse. Vi que o fantasma tinha sido uma mulher. "Uma mulher bem-vestida", pensei, embora seus traços de elegância parecessem horríveis à luz da manhã. Ela caminhava em direção aos arbustos, porém não podia realmente os penetrar: os galhos e as folhas eram duros demais. Entretanto aproximou-se deles o máximo que pôde. Parecia acreditar que estava escondida.

Momentos depois, ouvi o som de passos, e um dos Resplandecentes apareceu. Sempre notávamos aquele som, visto que nós, Fantasmas, não fazíamos qualquer barulho ao caminhar.

— Vá embora! — gritou o Fantasma. — Vá embora! Você não vê que eu quero ficar sozinha?

— Mas você precisa de ajuda — replicou o Sólido.

— Se tiver ao menos um vestígio de decência, vai se afastar — objetou o Fantasma. — Não preciso de ajuda.

Quero ficar sozinha. Vá embora. Você sabe que não posso andar rápido o suficiente nesses espinhos horríveis para fugir de você. É um horror da sua parte tirar vantagem disso.

— Ah! Não se preocupe! — disse o Espírito. — Vai ficar tudo bem. Só que você está indo na direção errada. É para o outro lado, para as montanhas que precisa ir. Pode se apoiar em mim o trajeto todo. Não posso *carregá-la* de fato, mas você não precisará pôr nenhum peso sobre os pés e se machucará menos a cada passo.

— Não tenho medo de machucados. Você sabe disso.

— Qual é o problema, então?

— Ainda não entendeu? Você realmente acha que vou aparecer *assim* diante de todas aquelas pessoas?

— Por que não?

— Nunca teria vindo se soubesse que todos vocês estariam vestidos desse jeito!

— Amiga, como você vê, eu nem sequer estou vestido…

— Não foi o que eu quis dizer. Por favor, vá embora.

— Você não pode nem ao menos me dizer o motivo?

— Se não entende, nem é preciso explicar. *Como* posso aparecer deste jeito perante tantas pessoas com corpos reais, sólidos? Seria melhor vagar nua pela Terra. Neste lugar, todos conseguem olhar *através* de mim.

— Entendo, sim. Éramos todos um pouco fantasmagóricos quando chegamos, mas depois passa. Venha. Você consegue.

— Só que eles vão me ver.

— E qual é o problema?

— Prefiro morrer.

— Mas você já morreu! Não adianta ignorar esse fato.

Então o Fantasma exprimiu um som, algo entre um soluço e um rosnado:

— Gostaria de nunca ter nascido! — esbravejou. — *Por que* nascemos?

— Para a felicidade sem fim — respondeu o Espírito. — Poderá desfrutá-la a qualquer momento…

— Mas é como estou dizendo: eles vão me *ver*!

— Daqui a uma hora, você não se importará mais com isso. Daqui a um dia, rirá da situação. Você não se lembra de como, na Terra, havia coisas quentes demais para tocarmos, mas não quentes demais para bebermos? Assim é a vergonha. Se a aceitar, se beber o copo até o fim, perceberá que é muito nutritiva. Por outro lado, se tentar fazer qualquer outra coisa com ela, acabará escaldada.

— Mesmo…? — perguntou o Fantasma, fazendo depois uma pausa.

Meu suspense foi elevado às alturas. Senti como se o meu próprio destino dependesse da resposta. Poderia ter caído aos pés dela e implorado para que cedesse.

— Sim. Venha e experimente — assegurou o Espírito.

Por pouco pensei que o Fantasma obedeceria. Certamente ele se mexeu, mas de repente gritou:

— Não, não posso. Realmente não posso! Por um momento, enquanto você falava, cheguei a pensar…

Mas na hora da decisão... Você não tem o direito de me pedir para fazer algo assim. É revoltante! Jamais me perdoaria se sucumbisse. Jamais, jamais! Além disso, não é justo. Deveriam ter nos avisado. Nunca teria vindo. Agora, por favor, por favor, vá embora!

— Amiga — indagou o Espírito —, você poderia, apenas por um momento, pensar em qualquer outra coisa além de si mesma?

— Já lhe dei minha resposta — retrucou friamente o Fantasma, ainda que com lágrimas.

— Se é assim, só me resta uma coisa a fazer — concluiu o Espírito.

Para minha grande surpresa, ele levou um chifre à boca e soprou. Tapei os ouvidos. A terra pareceu estremecer: toda a floresta tremeu com a vibração daquele som. Depois, suponho que tenha ocorrido um breve silêncio (embora não o tenha percebido) precedendo o barulho de cascos — ao longe no começo, e então mais perto, antes que eu conseguisse identificá-lo bem, e logo tão perto que comecei a procurar algum lugar seguro.

Antes de encontrá-lo, porém, o perigo já estava ao nosso redor. Com o rumor de um trovão, uma manada de unicórnios surgiu na clareira. Os menores tinham dois metros e setenta e cinco de altura; eram brancos como os cisnes, exceto pelo brilho avermelhado nos olhos e nas narinas e pelo azul anil que reluzia em seus chifres. Ainda me lembro do barulho estridente da grama macia e úmida sob seus cascos, da quebra da vegetação rasteira, do bufar, do relincho, de suas patas traseiras subindo e de sua cabeça com chifres baixando, como se ensaiassem para uma batalha. Fiquei me perguntando para que batalha real ensaiavam.

Ouvi o Fantasma gritar, e acho que ele fugiu para longe dos arbustos... talvez em direção ao Espírito, mas não sei. Pois eu mesmo me assustei e fugi, sem me importar, por um momento, com a dor que sentia sob os pés, e sem ousar parar. Assim, nunca cheguei a ver o fim do diálogo.

Nove

— Aonde você vai?[1] — perguntou uma voz com um forte sotaque escocês. Parei e olhei. O barulho dos unicórnios já se desfizera havia tempo e minha fuga me levara a um campo aberto.

Vi as montanhas onde o nascer do Sol permanecia imutável. Em primeiro plano, havia dois ou três pinheiros em uma pequena colina, com algumas rochas grandes e lisas, forradas de urzes. Assentado em uma dessas rochas estava um homem muito alto, quase gigante, de barba comprida. Eu ainda não tinha ficado frente a frente com uma das Pessoas Sólidas. Naquele momento, ao fazê-lo, descobri que as vemos com uma espécie de visão dupla.

---

[1]Alusão à pergunta que Jesus faz para Pedro (em latim, *quo vadis?*) quando o apóstolo, tentando fugir do martírio em Roma, depara com Cristo e entende que deve retornar para a cidade a fim de completar o seu ministério. A cena é descrita no evangelho apócrifo conhecido como "Atos de Pedro".

Estava perante um deus entronizado e brilhante, cujo espírito eterno pesava sobre o meu como um fardo de ouro maciço. No entanto ao mesmo tempo estava diante de um homem idoso, castigado pelo tempo, que poderia ser um pastor — alguém cuja honestidade lhe daria o rótulo de "simples" por parte dos turistas e "profundo" por parte dos vizinhos. Seu olhar revelava a perspicácia de quem viveu muito tempo em espaços abertos e solitários, e, de algum modo, consegui imaginar a rede de rugas que circundavam aqueles olhos, antes que fossem banhados na imortalidade pelo seu novo nascimento.

— Eu... ainda não sei — respondi.

— Então por que não se senta e conversa um pouco comigo? — ele perguntou, abrindo-me espaço na pedra.

— Não o conheço, senhor — repliquei, sentando-me ao seu lado.

— Chamo-me George — declarou —, George MacDonald.[2]

— Ah! — exclamei. — Então você pode me dizer! Pelo menos não vai me enganar.

Supondo, então, que tais expressões de confiança precisavam de alguma explicação, tentei, empolgado, contar

---

[2]George MacDonald (1824-1905), escritor, poeta e ministro cristão escocês. Uma das maiores influências na vida de C. S. Lewis, que descreve ter tido sua imaginação "batizada" após a leitura de *Phantastes* de MacDonald. Lewis passou a referir-se a ele como "meu mestre". Influenciou, também, J. R. R. Tolkien, Madeleine L'Engle e foi mentor de Lewis Carroll, incentivando-o a publicar *Alice no país das maravilhas*. [N. E.]

a esse homem tudo que seus escritos haviam feito por mim. Procurei narrar como certa tarde gelada na estação Leatherhead, quando comprei pela primeira vez uma cópia de *Phantastes*[3] (então com cerca de dezesseis anos), foi para mim o que a primeira visão de Beatriz fora para Dante: "Aqui começa a Nova Vida".[4]

Comecei a confessar por quanto tempo essa Vida permanecera apenas na esfera da minha imaginação e como, com lentidão e relutância, tive de admitir que a Cristandade de George MacDonald tinha uma conexão mais do que acidental com essa Vida. Relatei-lhe quanto me esforcei para não ver que o verdadeiro nome da qualidade, com a qual primeiro deparei em seus livros, é Santidade. Ele pôs a mão sobre a minha.

— Filho — interrompeu-me —, o seu amor, todo o amor, tem para mim um valor inexprimível. Mas podemos economizar um tempo precioso — ele acrescentou e, neste momento, pareceu-me um verdadeiro escocês — se eu lhe informar que já estou bem familiarizado com esses detalhes biográficos. Na verdade, notei que sua memória o engana em um ponto e outro.

---

[3]Obra de George MacDonald. Em *Surpreendido pela alegria*, sua autobiografia, Lewis menciona *Phantastes* como uma das influências que o levaram à fé.

[4]Do latim, *Incipit vita nova*. A frase é extraída da obra *Vida nova*, de Dante Alighieri. Nela, o poeta italiano declara seu amor platônico por Beatriz, sua musa em *A divina comédia*.

— Ah! — exclamei, calando-me em seguida.

— Você tinha começado — prosseguiu meu Professor — a falar de algo mais proveitoso.

— Senhor — continuei —, quase tinha me esquecido do problema e agora não estou mais ansioso pela resposta, embora ainda tenha uma curiosidade. É sobre os Fantasmas. Algum deles *realmente* fica aqui? Acaso *podem* ficar? Eles têm mesmo uma escolha verdadeira? Como acabam aqui?

— Você nunca ouviu falar de *Refrigerium*? Um homem com a sua formação já deve ter lido sobre o assunto em Prudêncio, sem mencionar Jeremy Taylor.

— Soa-me familiar, senhor, mas receio ter esquecido o seu significado.

— Significa que os condenados têm férias, excursões. Entendeu?

— Excursões para *cá*?

— Se assim desejarem. É claro que a maioria das tolas criaturas não quer. Prefere retornar à Terra. A maior parte prefere se divertir à custa das pobres mulheres insensatas chamadas de "médiuns". Alguns regressam e tentam afirmar sua posse de alguma casa que lhes pertenceu, e aí vocês têm o que é chamado de "Assombração". Ou então vão espiar os filhos. Fantasmas literários rondam bibliotecas públicas para ver se alguém ainda lê os livros que escreveram.

— Mas, se decidem vir aqui, podem mesmo ficar?

— Podem. Você já deve ter ouvido falar que o imperador Trajano ficou.

— Mas eu não entendo. O juízo não é final? Existe mesmo uma saída do Inferno para o Céu?

— Depende da maneira como você usa as palavras. Se deixarem a cidade cinzenta para trás, não terá sido o Inferno. Para quem a deixa, é o Purgatório. Outra coisa: talvez seja melhor você não chamar este lugar aqui de "Céu" — quer dizer, não *Céu Profundo*. — Nesse momento ele sorriu para mim. — Pode chamá-lo de Vale da Sombra da Vida. Só que, para quem ficar aqui, terá sido o Céu desde o início. Da mesma maneira, você pode chamar as ruas tristes daquela cidade isolada de Vale da Sombra da Morte. Mas, para os que lá permanecerem, terá sido o Inferno desde o princípio.

Fiquei intrigado. Suponho que ele tenha percebido, pois logo voltou a falar:

— Filho — prosseguiu —, você não consegue, em seu estado atual, compreender a eternidade: quando Anodos[5] espreitou pela porta do Atemporal, não trouxe nenhuma mensagem de volta. Mas você pode ter uma ideia da eternidade ao dizer que tanto o bem quanto o mal, quando plenamente amadurecidos, tornam-se retrospectivos. Não apenas este vale, mas todo o passado terreno terá sido o Céu para quem é salvo. Da mesma forma, não apenas

[5]Protagonista de *Phantastes*, de George MacDonald.

o pôr do Sol naquela cidade, mas toda a vida terrena de seus habitantes será vista pelos condenados como o Inferno. É isso que os mortais não compreendem. Sobre algum sofrimento passageiro, costumam dizer: "Nenhuma felicidade futura poderá compensar isso", sem saber que o Céu, uma vez alcançado, trabalhará de modo retroativo e transformará mesmo essa agonia em glória. Referindo-se a algum prazer pecaminoso, dizem: "Se eu puder ter *isto*, aceitarei as consequências", não percebendo que a condenação se espalhará de volta ao seu passado e contaminará a alegria do pecado. Ambos os processos começam antes mesmo da morte. O passado do homem bom começa a mudar, de modo que seus pecados perdoados c sofrimentos recordados adquirem a qualidade do Céu. Já o passado do homem mau coincide com a sua maldade e é preenchido apenas com tristeza e monotonia. É por isso que, no fim de todas as coisas, quando o Sol nascer aqui e o pôr do Sol lá embaixo se transformar em escuridão, os Benditos dirão: "Nunca vivemos em outro lugar senão o Céu", enquanto os perdidos lamentarão: "Sempre estivemos no Inferno". E ambos estarão dizendo a verdade.

— Isso não é duro demais, senhor?

— Quero dizer que esse é o verdadeiro sentido do que eles dirão. Na linguagem fatual dos Perdidos, as palavras serão diferentes, sem dúvida. Um dirá que, de forma certa ou errada, sempre serviu o seu país; outro, que sacrificou tudo em função de sua Arte. Alguns dirão que nunca se deixaram enganar; outros, que, graças a Deus, sempre estiveram à procura do Número Um; e quase todos alegarão que ao menos foram fiéis consigo mesmos.

— E os Salvos?

— Ah! Os Salvos... O que acontece com eles é mais bem-descrito como o oposto de uma miragem. Ao olharem para trás, percebem que o vale da miséria que pensavam estar adentrando era, na verdade, uma nascente; e, onde sua experiência momentânea viu apenas desertos de sal, a verdadeira memória registra que havia poços cheios de água.

— Então pessoas que dizem que Céu e Inferno são apenas estados de espírito estão certas?

—Xiu! — disse ele, severamente. — Não blasfeme. O Inferno é um estado de espírito, sim. Isso que você diz é verdade. Entregue à própria sorte, todo estado de espírito — todo isolamento da criatura na masmorra de sua própria mente — é, no final, o Inferno. Mas o Céu não é um estado de espírito, e sim a realidade em si. Pois todas as coisas abaláveis serão removidas para que as inabaláveis permaneçam.[6]

— Mas existe uma escolha real após a morte? Os meus amigos católicos ficariam surpresos, pois, para eles, as almas do Purgatório já estão salvas. Já os meus amigos protestantes não ficariam muito felizes, pois dizem que a árvore permanece do jeito que caiu.

---

[6]Alusão ao texto de Hebreus 12:27.

— Talvez ambos estejam certos. Não se preocupe com tais questões. Só conseguimos entender completamente a relação entre escolha e Tempo quando estamos além das duas coisas. Mas você não foi trazido aqui para estudar essas curiosidades. Sua preocupação é a natureza da escolha em si, e você pode observá-los tomando a decisão.

— Bem, senhor — insisti —, isso também precisa ser explicado. O que elas escolhem, essas almas que voltaram? Até agora não vi nenhuma permanecer. E como podem fazer sua escolha?

— Milton estava certo — explicou o meu Professor. — A escolha de toda alma perdida pode ser expressa nas palavras: "Melhor reinar no Inferno do que servir no Céu". Há sempre algo que insistem em manter, mesmo à custa da miséria. Há sempre algo que preferem à alegria — isto é, à realidade. Vemos isso com facilidade em uma criança mimada, que prefere parar de brincar ou perder o jantar a pedir desculpas e fazer as pazes. Chamamos isso de "Pirraça". Já na vida adulta, damos a esse comportamento diversos nomes sofisticados: ira de Aquiles e bravura de Coriolano; Vingança e Orgulho Ferido; Autoestima, Grandeza Trágica e Orgulho Justo.

— Então ninguém se perde pela prática de vícios indignos, senhor? Pela mera sensualidade?

— Alguns se perdem, sem dúvida. O sensual, admito, começa pela busca de um prazer real, embora mínimo. Seu pecado é pequeno. Mas chega o momento em que, embora o prazer diminua cada vez mais e o anseio fique cada vez mais intenso — e embora saiba que nunca alcançará a alegria dessa maneira —, ele continua preferindo o acariciar de uma cobiça implacável à alegria, de modo que não aceitará que ela lhe seja tirada. Lutaria até a morte para mantê-la. Ele bem gostaria de ficar satisfeito, mas, mesmo quando não consegue, prefere suportar o desejo a não o ter.

George ficou em silêncio por alguns minutos e depois prosseguiu:

— Você entenderá que essa escolha tem inúmeras formas, algumas inimagináveis na Terra. Houve uma criatura que veio aqui há pouco tempo e depois regressou. Chamavam-no Sir Archibald. Em sua vida terrena, ele não se interessou por nada além de Sobrevivência. Escreveu uma prateleira inteira de livros sobre o assunto, começando com uma abordagem filosófica e dedicando-se, por fim, à Pesquisa Psíquica. Esta se tornou sua única ocupação: fazer experimentos, dar palestras, publicar uma revista. Também viajar: desenterrar histórias estranhas entre os lamas tibetanos e iniciar-se em inúmeras irmandades da África Central. Provas e mais provas e ainda mais provas, era tudo o que queria. Ficava furioso quando percebia que alguém se interessava por qualquer outra coisa. Certa vez, durante uma das guerras terrenas, ele teve problemas ao percorrer o país todo e insistir para que não lutassem, já que seria um desperdício de dinheiro que poderia ser usado em Pesquisas. Ora, com o tempo a pobre criatura morreu e veio parar aqui, e nenhum poder do universo o impediria de ficar e seguir para as montanhas. Mas você acha que isso lhe serviu de alguma coisa? Para ele, este lugar não servia para nada. Todo mundo aqui já havia "sobrevivido". Ninguém demonstrava o mínimo interesse pela questão. Não havia nada mais a ser provado. Seu trabalho era inútil. É claro que, se ele apenas admitisse que se enganara, que havia trocado os fins pelos meios, e risse de si mesmo, poderia, como uma criança, recomeçar e entrar na alegria. Só que não foi o que fez. Ele não se importava em nada com a alegria. Ao final, foi-se embora.

— Que situação surreal! — exclamei.

— Acha mesmo? — perguntou o Professor, com um olhar penetrante. — Você está mais próximo dessa situação do que imagina. Já existiram pessoas que se interessaram tanto em provar a existência de Deus, que acabaram perdendo o interesse pelo próprio Deus. Como se o bom Senhor não tivesse nada a fazer a não ser *existir*! Alguns se preocupam tanto em divulgar o cristianismo, que jamais pensam em Cristo. Ah, a natureza humana! Podemos ver isso nas pequenas coisas. Você nunca conheceu um amante de livros que, de tantas primeiras edições e cópias autografadas, perdeu a capacidade de lê-los? Ou um organizador de obras de caridade que esqueceu todo o amor pelos pobres? Trata-se da mais sutil de todas as armadilhas.

Movido pelo desejo de mudar de assunto, perguntei por que o Povo Sólido, já que era pleno de amor, não descia ao Inferno para resgatar os Fantasmas. Por que se contentavam apenas em encontrá-los na planície? Seria de se esperar um amor mais ativo.

— Você entenderá isso melhor, talvez antes de partir — garantiu-me. — Por ora, basta saber que eles fizeram mais pelos Fantasmas do que você é capaz de compreender. Cada um de nós vive apenas para viajar cada vez mais em direção às montanhas. Todos nós interrompemos essa jornada e retrocedemos distâncias incomensuráveis para estar aqui hoje com a mera esperança de salvar algum Fantasma. É claro que nos alegramos em agir assim, mas você não pode nos culpar por isso! Além do mais, não adiantaria ir além, mesmo que fosse possível. Não serviria de nada se os sãos enlouquecessem a fim de ajudar os loucos.

— E quanto aos pobres Fantasmas que nunca chegam a entrar no ônibus?

— Todos que desejam entram. Quanto a isso, não se preocupe. No final, existem apenas dois tipos de pessoas. As primeiras são aquelas que dizem a Deus: "Seja feita a tua vontade"; as outras são aquelas às quais Deus, por fim, diz: "Seja feita a *tua* vontade". Todos os que estão no Inferno escolheram ir para lá. Sem essa escolha pessoal, o Inferno não existiria. Nenhuma alma perderá a alegria — quer dizer, nenhuma alma que a desejar com sinceridade e perseverança. "O que busca encontra; e, àquele que bate, a porta será aberta."[7]

Nesse instante, fomos subitamente interrompidos pela voz fina de um Fantasma falando a uma velocidade enorme. Olhando para trás, vimos a criatura. Dirigia-se a um dos Sólidos, ocupada demais para notar nossa presença. De vez em quando, o Espírito Sólido tentava dizer alguma coisa, mas sem sucesso. A conversa do Fantasma era mais ou menos assim:

— Ah, meu caro, passei por um momento terrível. Nem sei como vim parar aqui. Vinha com a Elinor Stone e combinamos tudo… Nos encontraríamos na esquina da rua Sink. Fui perfeitamente clara, porque sabia como ela era. Já tinha lhe dito uma centena de vezes que não me encontraria com ela à porta daquela mulher horrível, a Marjoribanks, não depois do modo como ela me tratou. Foi uma das piores coisas que já aconteceram comigo. Eu estava morrendo de vontade de lhe contar tudo, pois sabia que você me apoiaria. Espere só até eu lhe contar! Tentei morar com ela quando cheguei aqui; estava tudo combinado. Ela cozinharia e eu cuidaria da casa. Pensei *mesmo* que teria algum sossego, depois de tudo o que passei, mas ela se mostrou tão diferente, absolutamente egoísta, sem uma gota de simpatia por ninguém além de si mesma. E como uma vez eu disse a ela: "Acho *mesmo* que tenho o

[7]Cf. Mateus 7:8.

direito a um pouco de consideração, já que você ao menos completou o seu tempo, enquanto eu deveria ter ficado viva por muitos e muitos anos...". Ah, mas já ia me esquecendo! Você sabia que eu fui assassinada? Sim, assassinada, meu caro. Se aquele homem não tivesse feito a operação, eu estaria viva até hoje! Deixaram-me simplesmente *morrer* de fome naquele hospital, onde ninguém se preocupava comigo e...

O lamuriar estridente e monótono foi desaparecendo à medida que a falante, acompanhada pela paciência reluzente ao seu lado, saía da minha esfera auditiva.

— O que o incomoda, filho? — perguntou meu Professor.

— Estou perturbado, senhor — respondi. — Essa criatura infeliz não me parece o tipo de alma que deveria correr risco de condenação. Ela não é má, é apenas uma senhora tola e tagarela, que adquiriu o hábito de reclamar e pensa que um pouco de bondade, descanso e mudança lhe seria o suficiente.

— Antigamente ela era assim. Talvez ainda seja. Nesse caso, certamente será curada. Mas a questão é saber se agora ela é uma resmungona.

— Pensei que não houvesse dúvidas quanto a isso!

— Sim, mas você me entendeu mal. A questão é se ela é uma resmungona, ou apenas um resmungo. Se existe uma mulher de verdade — mesmo o menor vestígio de uma mulher de verdade — por trás dos murmúrios, ela poderá ser trazida de volta à vida. Se houver uma única centelha sob toda aquela cinza, sopraremos até a pilha ficar vermelha e em chamas. Mas se nada mais houver além de cinzas, não continuaremos a soprá-las. As cinzas deverão ser varridas.

— Mas como pode haver resmungos sem um resmungão?

— A grande dificuldade de entendermos o Inferno é que a coisa a ser entendida é quase Nada, algo que talvez você já saiba por experiência própria. Começa com uma tendência à reclamação, mas você continua um ser distinto dela e chega a criticá-la. Posteriormente, em um momento sombrio, pode até ser que deseje e escolha essa disposição, ainda que venha a se arrepender depois. No entanto, chegará o dia em que não terá mais essa capacidade. Então não haverá mais um *você* para criticá-la, tampouco para usufruí-la, mas apenas a reclamação em si, trabalhando como uma máquina. Mas venha! Você está aqui para observar e ouvir. Apoie-se no meu braço; daremos um breve passeio.

Obedeci. Apoiar-me no braço de alguém mais velho foi uma experiência que me levou de volta à infância. Com esse apoio, achei a caminhada mais tolerável, a ponto de me gabar de que meus pés já estavam ficando mais sólidos. Contudo, bastou um olhar rápido para as pobres formas transparentes para me convencer de que devia toda essa facilidade ao braço forte do Professor. Talvez por causa da sua presença, meus outros sentidos também pareciam ter sido aguçados. Senti aromas no ar que até então não havia percebido; o campo ganhou uma nova beleza. Havia água por toda parte, e pequenas flores estremeciam na brisa matinal. Ao longe, na floresta, cervos nos observavam de relance enquanto corriam e, em determinado momento, uma belíssima pantera, rosnando, pôs-se ao lado do meu companheiro. Vimos também muitos Fantasmas.

Acho que o mais lamentável foi o Fantasma de uma mulher. Seu problema era exatamente o oposto daquele que afligia a senhora assustada pelos Unicórnios, pois parecia não ter consciência de sua aparência fantasmagórica. Diversos Sólidos tentaram conversar com ela e, a princípio, fiquei sem entender o seu comportamento em relação a eles. Parecia contorcer seu rosto quase invisível e balançar seu corpo esfumaçado de uma maneira que não fazia sentido. Por fim, cheguei à conclusão de que — por incrível que pareça — ela supunha ainda poder atraí-los; e era exatamente o que tentava fazer. Transformara-se em um ser incapaz de conceber uma conversa, exceto como um meio para esse fim. Se um cadáver já avançado em decomposição surgisse de um caixão, tentando, com as gengivas lambuzadas de batom, flertar com alguém, o resultado não teria sido mais assustador. No final, ela murmurou:

— Criaturas estúpidas. — E voltou para o ônibus.

Isso me fez pensar em perguntar ao meu Professor o que ele pensava sobre o caso dos Unicórnios:

— É provável que a história tenha terminado bem — ele respondeu. — Você deve ter percebido que o Espírito Sólido pretendia amedrontá-la. Não que o medo em si pudesse torná-la menos Fantasma, mas, se ele a levasse a tirar o foco de si mesma, ainda que por um momento, poderia existir uma chance. Vi alguns que foram salvos dessa forma.

Deparamos com vários Fantasmas que haviam chegado perto do Céu apenas para contar aos Celestiais acerca do Inferno. Na verdade, esse era um dos tipos mais comuns. Outros, que talvez (como eu) tivessem sido professores, só se interessavam em dar palestras sobre suas áreas: traziam consigo cadernos volumosos, cheios de estatísticas, mapas e, no caso de um deles, um projetor. Alguns queriam contar histórias sobre pecadores notórios de todas as épocas os quais haviam conhecido lá embaixo. Entretanto, quase todos pareciam pensar que o simples fato de terem imposto a si mesmos tanta miséria lhes dava certa superioridade: "Vocês levam uma vida protegida!", clamavam. "Não conhecem o lado sórdido. Vamos contar para vocês. Vamos lhes dizer algumas verdades" — como se tingir o Céu com imagens e cores infernais fosse o único propósito da sua visita.

Com base na minha observação do mundo inferior, todos, sem exceção, não mereciam confiança, e todos eram igualmente indiferentes em relação ao lugar aonde haviam chegado. Repeliam qualquer tentativa de aprender e, ao descobrirem que ninguém lhes dava ouvidos, voltavam, um a um, para o ônibus.

No entanto, esse curioso desejo de descrever o Inferno demonstrou ser apenas uma forma mais branda de um anseio muito comum entre os Fantasmas: o desejo de *ampliar* o Inferno, de trazê-lo corporalmente, se possível, para dentro do Céu. Havia Fantasmas-manifestantes que, com voz estridente, como os sons emitidos pelos morcegos, instavam os espíritos abençoados a se livrarem de seus grilhões, escaparem felizes de seu aprisionamento, derrubarem as montanhas com as próprias mãos e conquistarem o Céu "para si mesmos". O Inferno lhes oferecia sua cooperação.

Havia Fantasmas-projetistas que lhes imploravam que barrassem o rio, cortassem as árvores, matassem os animais, construíssem uma ferrovia nas montanhas e asfaltassem a grama, o musgo e as urzes. Fantasmas-materialistas chamavam os imortais de "iludidos"; diziam que não existia vida após a morte e que todo aquele lugar não passava de uma alucinação. Outros ainda tão somente assumiam o seu papel de Fantasmas, no sentido mais puro e simples da palavra: não passavam de assombrações, plenamente conscientes de sua própria decadência e de que haviam aceitado o papel tradicional de espectro, parecendo ter a esperança de conseguir assustar alguém.

Eu não tinha ideia de que tal desejo fosse possível, mas meu Professor relembrou-me de que o prazer de assustar não é de forma alguma desconhecido na Terra. Recordou-me também do ditado de Tácito: "Atemorizam para não sentir temor". Quando o que resta de uma alma decaída se desintegra em espectro, conclui: "Tornei-me aquilo que toda a humanidade teme. Não passo de uma sombra fria de cemitério, aquela coisa horrível que não deveria existir, mas que, de forma inexplicável, existe". Aterrorizar os outros parece-lhe uma saída da perdição de ser um Fantasma e, ainda assim, temer os Fantasmas — isto é, temer até o próprio Fantasma que é. O medo de si é a pior forma de horror.

Além desses, vi outros espectros grotescos, nos quais não restava quase nenhum vestígio de forma humana — monstros que enfrentavam a jornada (para alguns, uma travessia de milhares de quilômetros) até o ponto de ônibus chegavam ao Vale da Sombra da Vida e mancavam pela grama torturante apenas para cuspir, em um êxtase de ódio, sua inveja e (o que é mais difícil de compreender) seu desprezo pela alegria. A viagem lhes parecia um pequeno preço a pagar se, pelo menos uma vez, uma única vez, à vista daquele eterno amanhecer, pudessem dizer aos impostores, aos canalhas, aos santarrões, aos esnobes e aos "bem de vida" o que pensavam a respeito deles.

— Afinal, como eles vêm parar aqui? — perguntei ao meu Professor.

— Vi o tipo mais perverso se converter e ficar; também vi aqueles que considerávamos menos condenados retornarem — ele respondeu. — Às vezes, aqueles que odeiam a bondade estão mais perto do que os que nada sabem a respeito dela e, ainda assim, acham que já a possuem.

⧓

— Quieto agora! — ordenou meu Professor, repentinamente. Estávamos parados perto de alguns arbustos e, para além deles, vi um dos Sólidos e um Fantasma; pelo visto, tinham acabado de se encontrar. A aparência do Fantasma parecia-me vagamente familiar, mas logo percebi que o que tinha visto na Terra não era o homem em si, mas sua fotografia nos jornais. Tratava-se de um pintor famoso.

— Deus! — exclamou o Fantasma, olhando para a paisagem à sua volta.

— Deus o quê? — inquiriu o Espírito.

— O que você quer dizer com "Deus o quê"? — replicou o Fantasma.

— Na nossa gramática, "Deus" é um substantivo.

— Ah, entendi. Só quis dizer "Minha nossa!" ou algo parecido. Referia-me a… tudo *isso*. É… como eu gostaria de pintar essa paisagem!

— Ainda não me preocuparia com a pintura, se fosse você.

— Que história é essa? Não somos autorizados a pintar neste lugar?

— Antes de tudo, é preciso olhar.

— Já olhei! Vi exatamente o que quero fazer. Deus...! Quem me dera ter trazido o meu material!

O Espírito balançou a cabeça, irradiando a luz de seus cabelos ao fazê-lo:

— Aqui onde estamos, esse tipo de coisa não faz o menor sentido — explicou.

— Como assim? — indagou o Fantasma.

— Você pintava na Terra, pelo menos no início, por captar vislumbres do céu na paisagem terrestre. O sucesso de sua pintura estava no fato de ela levar outras pessoas a terem os mesmos vislumbres. Mas aqui você está diante da coisa em si. É deste lugar que as mensagens são enviadas. Não adianta *nos contar* a respeito deste local, pois já o vemos. Na verdade, nós o enxergamos melhor do que você.

— Então nunca fará nenhum sentido pintar aqui?

— Não é isso que quero dizer. Quando você se tornar uma Pessoa (tudo bem, nós todos tivemos de passar por esse processo), haverá elementos que você perceberá melhor do que ninguém. Uma das coisas que desejará fazer é nos contar a respeito delas. Mas o momento ainda não chegou. Por enquanto, seu dever é observar. Venha e veja![8] Ele é infinito. Venha e deleite-se!

Fez-se uma pequena pausa.

— Será um prazer — disse o Fantasma, com voz um tanto monótona.

---

[8]Cf. Apocalipse 6:1,3,5,7.

— Venha, então — replicou o Espírito, oferecendo-lhe a mão.

— Daqui a quanto tempo você acha que eu *poderia* começar a pintar? — perguntou o primeiro.

O Espírito caiu na gargalhada.

— Não percebeu ainda que nunca chegará a pintar se só pensar nisso?

— O que quer dizer? — perguntou o Fantasma.

— Ora, se o seu interesse por este lugar for apenas por causa da pintura, você nunca aprenderá a vê-lo.

— Mas é por isso que um verdadeiro artista se interessa pelo lugar.

— Não, você está se esquecendo — contestou o Espírito. — Não foi assim que tudo começou. Seu primeiro amor foi a própria luz. Você amava a pintura apenas como meio de falar da luz.

— Ah, isso foi há muito tempo — disse o Fantasma. — Já superei essa fase. Naturalmente, você não viu os meus últimos trabalhos. O artista se interessa cada vez mais pela pintura como um fim em si mesma.

— É verdade. Também tive de me recuperar disso. Não passava de uma armadilha. Tintas e telas eram necessárias lá embaixo, mas também eram estimulantes perigosos. Todo poeta, músico e artista, se não for pela Graça, afasta-se do amor por aquilo que expressa e, em troca, passa a amar a expressão em si — até que, nas Profundezas do Inferno, não se interessa mais nem um pouco por Deus, mas somente pelo que exprime a respeito dele. O artista não deixa de se interessar pela pintura, mas, afundando-se um pouco mais, passa a se consumir por sua própria personalidade e, por fim, não pensa em nada além de sua reputação.

— Não parece ser o *meu* caso — comentou obstinadamente o Fantasma.

— Excelente! — retrucou o Espírito. — Nem todos tínhamos superado essa tendência quando chegamos. Mas, se ainda persistir algum traço dessa inflamação, será curada quando você chegar à fonte.

— Que fonte é essa?

— Uma que fica lá no alto, nas montanhas — respondeu o Espírito. — Muito fresca e cristalina, entre duas colinas verdejantes. Assemelha-se um pouco ao Lete.[9] Ao beber de sua água, você se esquece para sempre de todo e qualquer senso de posse sobre as suas obras. Passa a apreciá-las como se pertencessem à outra pessoa: sem orgulho e sem modéstia.

— Ótimo... — disse o Fantasma, sem entusiasmo.

— Vamos, então — replicou o Espírito e, por alguns passos, deu apoio à sombra coxeante, caminhando em direção ao oriente.

---

[9]Na mitologia grega, um dos cinco rios do Hades, o mundo dos mortos. Quem bebesse ou ao menos tocasse nas águas desse rio experimentaria o esquecimento.

— Naturalmente — declarou o Fantasma, como se falasse sozinho —, sempre haverá pessoas interessantes para conhecer...

— Todos serão interessantes.

— Ah, sim. Sem dúvida. Estava pensando mais em pessoas da nossa área. Vou conhecer Claude? Ou Cézanne? Ou...

— Mais cedo ou mais tarde, se estiverem aqui.

— Você não os conhece?

— Acho que não. Estou aqui há poucos anos. A chance de eu ter deparado com algum deles é mínima. Somos muitos, afinal...

— Mas, no caso de pessoas famosas, é certo que você ouviria falar delas, não?

— Só que elas não são famosas, não mais do que qualquer outra pessoa. Ainda não consegue entender? A Glória flui de todos e retorna para todos, como a luz em um espelho. O essencial é a luz.

— Quer dizer que não existem famosos aqui?

— Todos são famosos. Todos são conhecidos, lembrados, reconhecidos pela única Mente capaz de dar um veredito perfeito.

— Ah, claro, *nesse* sentido... — disse o Fantasma.

— Não pare — rogou o Espírito, levando-o a seguir adiante.

— Devemos nos contentar, então, com a nossa reputação entre a posteridade — comentou o Fantasma.

— Amigo, você não sabe? — questionou o Espírito.

— Não sei o quê?

— Que você e eu já fomos completamente esquecidos na Terra?

— O quê? Como assim? — questionou o Fantasma, desapoiando seu braço. — Quer dizer que os malditos neorregionalistas venceram, afinal?

— Pois é! — disse o Espírito, mais uma vez caindo na gargalhada e irradiando a sua luz. — Hoje em dia, na Europa ou nos Estados Unidos, ninguém daria um centavo por um quadro meu ou seu. Estamos totalmente fora de moda.

— Devo voltar imediatamente — replicou o Fantasma. — Deixe-me ir! Droga! Alguém tem de zelar pelo futuro da Arte! Preciso voltar para os meus amigos. Escrever um artigo. Elaborar um manifesto. Começar um periódico. Investir em publicidade. Deixe-me ir. Isso não é brincadeira!

Então, sem esperar pela resposta do Espírito, o espectro desapareceu.

Dez

Por acaso, também ouvimos a seguinte conversa:

— Isso está *completamente* fora de questão! — enfatizou o Fantasma de uma mulher a uma das Resplandecentes. — Não sonharia em ficar se esperasse encontrar o Robert. Já o perdoei, claro. Mas qualquer coisa a mais é impossível. Como ele veio parar aqui? Aliás... não é da minha conta.

— Se você o perdoou — disse a outra —, certamente...

— Perdoei-o como cristã — interrompeu o Fantasma. — Mas algumas coisas jamais esquecemos.

— Não entendo... — começou a dizer o Espírito Feminino.

— Exatamente! — exclamou o Fantasma, com uma breve risada. — Você nunca entendeu. Sempre pensou que o Robert não podia fazer nada de errado. *Eu* é que sei. Por favor, não me interrompa, pelo menos por *um* momento. Você não faz a menor ideia do que passei com o seu querido Robert. A ingratidão! Fui eu quem fez dele um homem! Sacrifiquei toda a minha vida por ele! No final, qual foi a minha recompensa? Total e absoluto egoísmo!

"Não diga nada; só escute. O Robert ganhava uma ninharia quando nos casamos. Preste atenção, Hilda: se não fosse por mim, ele continuaria na mesma situação até morrer. Fui eu quem o conduziu pelo caminho, passo a passo. O homem não tinha uma gota de ambição. Era como tentar levantar um saco de carvão. Tive de importuná-lo para que aceitasse aquele trabalho extra no outro departamento. Só então ele começou a prosperar. Como os homens são preguiçosos! O Robert dizia que não podia trabalhar mais de treze horas por dia, você acredita? Como se eu não trabalhasse muito mais! Enquanto o dia de trabalho dele acabava, o *meu* continuava.

"Eu precisava pegar no pé do Robert todas as noites, se é que me entende. Se o deixasse fazer o que queria, ele se contentava apenas em ficar sentado no sofá e permanecer calado depois do jantar. *Eu* é que tinha de arrancá-lo do seu mundo, animá-lo, puxar conversa — sem o mínimo de esforço da parte dele, para variar. Às vezes o Robert nem prestava atenção. Seria demais esperar dele bons modos? Afinal, parecia se esquecer de que eu era uma dama, apesar de *estarmos* casados.

"Ainda que eu me matasse de trabalhar pelo Robert, não recebia a menor apreciação. Costumava passar *horas* arranjando flores para enfeitar aquela casinha apertada e, em vez de me agradecer, o que acha que ele me dizia?

Que eu não enchesse a escrivaninha com flores quando ele queria usá-la. Certa noite, tivemos uma tremenda discussão só porque deixei cair água de um vaso em alguns papéis dele. Foi tudo bobagem, na verdade, já que os papéis não tinham nada a ver com o seu trabalho. Na época, o Robert estava com uma ideia tola de escrever um livro… como se fosse capaz. No fim, consegui curá-lo dessa ideia maluca.

"Não, Hilda, você *precisa* me ouvir. O trabalho que eu tive, bancando a hospitaleira! Robert achava que podia escapar de vez em quando para se encontrar com supostos velhos amigos… e deixar que eu me divertisse sozinha! Mas eu sabia, desde o início, que aqueles amigos não lhe faziam nada bem. 'Não, Robert', falava para ele, 'agora, seus amigos também são meus. Tenho o dever de recebê-los *aqui*, por mais cansada que esteja e apesar do pouco que podemos oferecer'. Para a maioria das pessoas, seria o suficiente — mas não é que os amigos do Robert começaram a aparecer de vez em quando, mesmo assim? Foi então que tive de usar certo tato. Uma mulher ponderada pode sempre lançar uma opinião aqui, outra ali. Queria que Robert os visse sob uma perspectiva diferente. Seus amigos não se sentiam nem um pouco à vontade na minha sala de estar, nem quando se esforçavam. Às vezes, eu não conseguia conter a risada. É claro que o Robert ficava constrangido quando eu os tratava daquela maneira, mas era tudo para o seu próprio bem. Depois de um ano, ninguém mais daquele grupo continuava amigo dele.

"Depois, o Robert conseguiu um novo emprego. Um grande avanço. Mas o que *acha* que aconteceu? Em vez de perceber que finalmente tínhamos uma chance de melhorar de vida, tudo o que ele disse foi: '*Agora*, pelo amor de Deus, tenhamos um pouco de paz!'. Isso quase acabou comigo. Foi por pouco que não desisti completamente dele; mas eu sabia o meu dever e sempre o cumpria.

"Você não acredita no trabalhão que eu tive para fazê-lo concordar com uma casa maior, e depois para encontrar a casa. Eu não teria ficado nem um pouco ressentida se ele tivesse levado tudo numa boa, se tivesse visto o lado *divertido* da história. Se ele fosse um homem diferente, *teria sido* divertido encontrá-lo à porta de casa ao retornar do escritório e lhe dizer: 'Vamos, Bob, hoje não temos tempo para o jantar. Ouvi falar de uma casa perto de Watford e estou com as chaves. Podemos ir e voltar em uma hora'. Só que com *ele*, Hilda, tudo era problema! A essa altura, seu maravilhoso Robert já estava se transformando no tipo de homem que só pensa em comida.

"Finalmente, consegui colocá-lo na casa nova. Sim, eu sei. Era um pouco mais do que podíamos pagar na época, mas todo tipo de oportunidade se abria diante dele. Além disso, comecei a receber os amigos da forma certa, claro. Não mais o tipo de amizades que ele tinha antes, nem pensar! Eu fazia tudo por ele. Toda amizade útil que ele fez foi por minha causa. Obviamente, eu tinha de me vestir bem. Aqueles podiam ter sido os anos mais felizes da nossa vida. Se não foram, a culpa foi toda dele.

"Ah, o Robert me deixava louca, simplesmente louca! À medida que envelhecia, ficava cada vez mais calado e rabugento. Afundou em si mesmo. Poderia parecer muito mais jovem, se quisesse. Não precisava andar curvado. Tenho certeza de que o alertei várias vezes sobre isso. Ele era o pior dos anfitriões. Sempre que dávamos uma festa, o fardo ficava todo nas minhas costas. O Robert não passava de um peso morto.

"Eu disse ao Robert (não uma, mas centenas de vezes) que ele nem sempre tinha sido assim. Houve um tempo em que se interessava por todo tipo de coisa e estava sempre pronto para fazer amigos. 'Que diabos está acontecendo com você?', eu costumava perguntar, mas ele nem se dava ao trabalho de responder. Ficava sentado em um canto, apenas olhando para mim com aqueles olhos enormes (passei a odiar homens de olhos escuros) e — agora sei — me odiando. Foi essa a minha recompensa, depois de tudo o que fiz. Puro ódio, perverso e sem sentido, precisamente quando ele se tornou mais rico do que jamais sonhara! Costumava lhe dizer: 'Robert, você se desgasta demais!'. Os homens mais jovens que frequentavam a nossa casa — não era culpa minha se gostavam mais de mim do que do urso do meu marido — costumavam zombar dele.

"Cumpri o meu dever até o fim. *Obriguei-o* a fazer exercícios — essa foi a verdadeira razão para termos um grande dogue alemão. Continuei dando festas. Levei-o para lugares maravilhosos nas férias. Certifiquei-me de que ele não exagerasse na bebida. Quando as coisas chegaram a um ponto desesperador, encorajei-o a voltar a escrever. Àquela altura, escrever um pouco não lhe faria nenhum mal. Como eu poderia saber que ele acabaria tendo um colapso mental? Minha consciência está limpa. Se alguma mulher cumpriu o seu dever para com o Robert, essa mulher fui eu. Veja, então, por que seria impossível...

"Mesmo assim... não sei. Acho que mudei de ideia. Farei uma oferta justa para eles, Hilda. *Não* vou me encontrar com o Robert se for apenas para conversar um pouco e nada mais; mas voltarei a cuidar dele, se me derem carta branca. Carregarei o meu fardo outra vez. Só peço autonomia para trabalhar. Com todo o tempo livre que temos neste lugar, creio que ainda poderei fazer dele alguma coisa. Em um lugar tranquilo, só para nós dois. Não é um bom plano? O Robert não está preparado para tomar conta de si mesmo. Deixe-o comigo. Ele precisa de mão firme. Conheço-o melhor do que você.

"Como assim? Não! Coloque-me no comando; está ouvindo? Não consulte o *Robert*, apenas entregue-o para mim! Sou esposa dele, não sou?

"Eu só estava começando. Ainda há muitas e muitas coisas que quero fazer com ele. Não, Hilda, escute. Por favor, por favor! Sinto-me tão miserável! Preciso de alguém para... ajudar. Lá embaixo é simplesmente terrível. Ninguém tem o mínimo interesse por mim. Não consigo mudá-los. É horrível vê-los todos sentados e não poder fazer nada por eles. Devolva-me o Robert! Por que ele deveria ter tudo do jeito que quer? Não é bom para ele, não está certo, não é justo. Eu quero o Robert. Que direito você tem de mantê-lo longe de mim? Odeio você. Como posso retribuir a ele se você não me deixa tê-lo?

O Fantasma se elevou como a chama de uma vela prestes a se apagar e, de repente, virou fumaça. Por instantes, um cheiro amargo e seco pairou no ar. Em seguida, não havia mais Fantasma à vista.

Onze

Um dos encontros mais dolorosos que testemunhamos foi entre o Fantasma de uma mulher e um Espírito Resplandecente que, aparentemente, fora seu irmão. Deviam ter se encontrado pouco antes de depararmos com eles, pois o Fantasma estava dizendo, em um tom que não disfarçava a decepção:

— Ah... Reginald! É *você*?

— Sim, querida — respondeu o Espírito. — Sei que esperava outra pessoa. Espero que, por ora, esteja um pouco feliz em me ver.

— Pensei que o Michael viria — disse o Fantasma, continuando, então, quase com brutalidade: — O Michael está *aqui*, não está?

— Está lá longe, nas montanhas.

— Por que ele não veio me encontrar? Não sabia que eu viria?

— Não seria o momento apropriado, minha querida. Ainda não. Mas não se preocupe, pois tudo acabará bem.

O Michael não seria capaz de vê-la ou ouvi-la no estado em que você se encontra. Você seria totalmente invisível para ele. Em breve, lhe daremos uma forma sólida.

— Acredito que, se *você* pode me ver, o meu próprio filho também pode!

— Nem sempre é assim. Veja, acabei me especializando nesse tipo de trabalho.

— Isso é trabalho? — respondeu o Fantasma, de modo ríspido e sarcástico, e, depois de uma pausa, tornou a perguntar: — Quando é que *serei* autorizada a vê-lo, então?

— Não se trata de uma *autorização*, Pam. Assim que lhe for possível, é claro que Michael a verá. Você precisa ficar um pouco mais sólida.

— Como? — perguntou o Fantasma. A pronúncia soou dura e um pouco ameaçadora.

— Receio que o primeiro passo seja o mais difícil — explicou o Espírito. — Mas depois você prosseguirá rapidamente, como o fogo que se alastra por uma casa em chamas. Você se tornará sólida o suficiente para que o Michael a veja quando aprender a desejar Alguém além dele. Não digo "mais do que o Michael", pelo menos não no início. Isso virá mais tarde. Precisamos apenas da semente de um desejo por Deus para dar início ao processo.

— Ah! Você se refere à religião e a esse tipo de coisa? Não é o momento certo para falarmos desse assunto... muito menos partindo de *você*. Aliás, não importa. Farei o que for necessário. O que você quer que eu faça? Vamos logo. Quanto mais cedo eu começar, mais cedo poderei ver o meu menino. Estou pronta.

— Mas, Pam, pense um pouco! Você não vê que não pode começar nada enquanto estiver nessa condição? Está tratando Deus apenas como um meio para chegar ao Michael, quando todo o processo de solidificação consiste em aprendermos a desejar Deus por quem ele é.

— Você não falaria assim se fosse mãe.

— Se eu fosse *apenas* mãe, você quer dizer. Mas não existe isso de ser "apenas mãe". Você só existe como a mãe do Michael porque existe primeiro como criatura de Deus. Essa relação é mais antiga e mais próxima. Não, Pam! Escute! Deus também ama. Também sofreu. Também esperou muito tempo.

— Se ele me amasse, ia me deixar ver meu menino. Se me amasse, por que tiraria o Michael de mim? Não queria falar sobre isso. Mas, sabe, é muito difícil perdoar.

— Mas Deus teve de levar o Michael. Em parte, para o próprio bem dele…

— Tenho certeza de que fiz o que pude para que o Michael fosse feliz. Renunciei a toda a minha vida…

— Seres humanos não conseguem fazer os outros realmente felizes por muito tempo. Em segundo lugar, Deus fez isso para o seu próprio bem. Ele queria que o amor meramente instintivo que você tinha pelo seu filho (tigres-fêmeas partilham *desse* sentimento, como você sabe!) se transformasse em algo melhor. Queria que você amasse o Michael, mas como ele mesmo compreende o amor. Não podemos amar outra criatura de forma plena se não amarmos a Deus. Às vezes essa conversão pode ser feita enquanto o amor instintivo ainda é gratificado, mas, no seu caso, parece que não existia nenhuma possibilidade. Seu instinto era incontrolável, feroz e monomaníaco. (Pergunte à sua filha ou ao seu marido. Pergunte à nossa própria mãe. Você nunca pensou *nela.*) A única solução foi tirar o objeto do seu amor. Foi um caso cirúrgico. Com a frustração desse primeiro tipo de amor, haveria então a possibilidade de que, na solidão, no silêncio, algo diferente começasse a crescer.

— Isso é tudo bobagem, uma bobagem cruel e perversa. Que *direito* você tem de me dizer essas coisas sobre o amor Maternal? É o sentimento mais nobre e sagrado da natureza humana.

— Pam, veja, nenhum sentimento natural é, em si mesmo, superior ou inferior, santo ou profano. Todo sentimento é santo quando a mão de Deus o governa. Todo sentimento se deteriora quando se estabelece por conta própria e se transforma em um falso deus.

— Meu amor por Michael nunca se deterioraria. Nem se vivêssemos juntos por milhões de anos.

— Você está enganada e tem de enxergar isso. Você não conheceu, lá embaixo, mães que estão com seus filhos no Inferno? O amor *delas* as torna felizes?

— Se você se refere a mulheres como Guthrie e ao seu terrível filho Bobby, é claro que não! Espero que não esteja sugerindo que... Se eu estivesse com o Michael, seria perfeitamente feliz, mesmo naquele lugar. Não estaria sempre falando dele, até que todo mundo odiasse o som do seu nome, como faz a Winifred Guthrie com o *seu* pirralho mimado. Não discutiria com as pessoas por não lhe darem atenção suficiente nem ficaria louca de ciúmes se o fizessem. Não andaria por aí choramingando e lamentado por ele não ser bom para mim, já que, obviamente, ele seria. Não se atreva a insinuar que o Michael seria como o filho da Guthrie! Há coisas que não consigo tolerar.

— O que você vê na família Guthrie é aquilo em que a afeição natural acaba por se transformar, caso não seja convertida.

— É mentira. Uma mentira maldosa, cruel. Como alguém poderia amar um filho mais do que eu? Não vivi para a sua memória durante todos esses anos?

— Isso foi um erro, Pam. No fundo do seu coração, você sabe.

— O que foi um erro?

— Todo aquele ritual de dez anos de pranto, mantendo o quarto exatamente como ele o deixou; celebrando aniversários; recusando-se a sair daquela casa, embora o Dick e a Muriel se sentissem infelizes lá.

— Claro que eles não se importavam! Sei disso. Logo aprendi a não esperar nenhuma solidariedade verdadeira da parte deles.

— Você está enganada. Nenhum homem sentiu tanto a morte do filho quanto o Dick. Poucas moças amaram o irmão como a Muriel. Não foi contra o Michael que eles se revoltaram: foi contra você — contra terem a vida inteira dominada pela tirania do passado. Na realidade, não tanto o passado do Michael, mas o seu.

— Você não tem coração! São todos insensíveis! O passado era tudo o que me restava.

— A escolha de lidar com o sofrimento da forma errada foi sua. Foi como embalsamar um corpo, como faziam os egípcios.

— Ah! É claro! Eu é que estou errada. Qualquer coisa que eu disser ou fizer estará errada, de acordo com você.

— Sem dúvida! — replicou o Espírito, radiante de amor e alegria, ofuscando os meus olhos. — É o que todos descobrimos ao chegar aqui. Todos estávamos errados! Essa é a grande piada. Não há necessidade de continuarmos fingindo que estávamos certos! Depois disso, começamos a viver.

— Como você ousa rir de uma coisa assim? Dê-me o meu menino, está ouvindo? Não ligo para todas as suas regras e regulamentos. Não creio em um Deus que separa mães e filhos. Creio em um Deus de amor. Ninguém tem o direito de se intrometer entre mim e o meu filho. Nem mesmo Deus. Diga-lhe isso pessoalmente. Quero o meu menino de uma vez por todas. Ele é meu, você entende? Meu, meu, meu para todo o sempre.

— Ele será, Pam. Tudo será seu. Até o próprio Deus. Mas não dessa maneira. Nada pode ser seu por natureza.

— O quê? Nem o meu próprio filho, nascido do meu corpo?

— E onde está o seu corpo agora? Você não sabia que, na Natureza, tudo chega ao fim? Veja! O Sol está surgindo nas montanhas; nascerá a qualquer momento.

— O Michael é meu.

— Seu em que sentido? Você não o criou. A Natureza o fez crescer no seu corpo, de modo independente da sua vontade. Até mesmo contra a sua vontade… Às vezes você se esquece de que, naquela época, não planejava ter um bebê. Originalmente, o Michael foi um Acidente.

— Quem te contou? — questionou o Fantasma, recompondo-se em seguida. — É uma mentira. Uma mentira! Não é da sua conta. Odeio a sua religião, odeio e desprezo o seu Deus. Acredito em um Deus de Amor.

— E mesmo assim, Pam, neste momento você não tem amor nem por mim nem por sua própria mãe.

— Ah, entendo! É *esse* o problema, não é? *Francamente*, Reginald! A ideia de você estar magoado porque…

— De jeito nenhum! — exclamou o Espírito, dando uma grande gargalhada. — Não precisa se preocupar com isso! Você não sabe que *não pode* magoar ninguém neste lugar?

O Fantasma ficou em silêncio e boquiaberto por um momento — mais estarrecido por essas palavras tranquilizadoras, penso eu, do que por qualquer outra coisa que havia sido dita.

— Venha. Caminhemos um pouco mais — disse o meu Professor, colocando a mão no meu braço.

⧐◆⧏

— Por que me afastou dali, senhor? — perguntei, já fora da esfera auditiva do Fantasma infeliz.

— Os dois ainda têm muito que conversar — declarou o Professor. — Você já ouviu o suficiente para antecipar a escolha.

— Há alguma esperança para ela, senhor?

— Sim, ainda lhe resta alguma esperança. O que ela chama de "amor pelo filho" transformou-se em um sentimento mesquinho, espinhoso e opressivo. Mas ainda há uma pequena faísca de algo que não se resume ao seu próprio ego, algo que pode se transformar em chama.

— Então quer dizer que alguns sentimentos naturais são realmente melhores do que outros — isto é, constituem um melhor ponto de partida para aquilo que é verdadeiro?

— Melhores *e* piores. Existe algo na afeição natural, mais do que no apetite natural, que a levará mais facilmente ao amor eterno. No entanto, há também algo nesse sentimento que facilita a estagnação no plano natural e que nos leva a confundi-lo com o celestial. É mais fácil confundir o bronze com o ouro do que com o barro. Ao final, se a afeição natural recusar a conversão, sua corrupção será pior do que a corrupção daquilo que chamamos de “paixões inferiores”. Trata-se de um anjo mais forte, que, quando cai, transforma-se em um demônio mais feroz.

— Não sei se ousaria repetir isso na Terra, senhor — objetei. — Diriam que eu sou desumano, que acredito na depravação total da humanidade, que ataco o que há de melhor e mais sagrado. Eu seria chamado de...

— Não haveria problema algum se dissessem tudo isso — garantiu-me o Professor, com (o que me pareceu ser) um brilho no olhar.

— Mas alguém se atreveria, teria a coragem, de tentar explicar essas coisas a uma mãe arrasada pela morte do filho, sem nunca ter passado pela mesma experiência?

— Não, não, filho. Isso não é trabalho seu. Você não está preparado para essa tarefa. Quando o seu coração estiver partido, aí sim será o momento de considerar falar algo a respeito disso. Mas alguém deve dizer, de um modo geral, o que há muitos anos não é dito: que o amor, como os mortais entendem a palavra, não é suficiente. Todo amor natural ressuscitará e viverá para sempre aqui, mas nenhum amor natural poderá ressuscitar sem que primeiro tenha sido sepultado.

— Essas palavras são duras demais para nós.

— Ah, mas a crueldade está em não as dizer. Os que sabem começaram a ter medo de falar. É por isso que as tristezas que antigamente purificavam agora só corrompem.

— Keats[1] estava errado, então, ao dizer ter certeza da santidade dos afetos do coração?

— Duvido que ele soubesse claramente do que estava falando. Mas você e eu devemos ser claros. Há apenas um bom: Deus. Tudo o que é bom, é bom quando se volta para ele, e tudo que é ruim, é ruim quando se afasta dele. Quanto mais alto e poderoso for algo na ordem natural, mais demoníaco será, caso se rebele. Não se criam demônios a partir de ratos ou pulgas ruins, mas de arcanjos ruins. A falsa religião da cobiça é mais basilar do que a falsa religião do amor maternal, do patriotismo e da arte. No entanto, é menos provável que a cobiça se transforme em religião. Mas olhe!

Vi, dirigindo-se em nossa direção, um Fantasma que trazia algo no ombro. Apesar de ser insubstancial como todos os Fantasmas, também se diferenciava dos demais, como uma fumaça se distingue da outra. Alguns eram esbranquiçados, enquanto esse era escuro e oleoso. Trazia sobre o ombro um pequeno lagarto vermelho, que torcia a cauda como um chicote e sussurrava-lhe ao ouvido. Quando o vimos, o Fantasma virou a cabeça para o réptil e grunhiu com impaciência:

— Já mandei você calar a boca!

Entretanto, o lagarto abanou a cauda e continuou a sussurrar-lhe. Então o Fantasma parou de resmungar e

---

[1]John Keats (1795-1821), um dos poetas mais importantes do romantismo inglês.

começou a sorrir. Depois, virou-se e começou a mancar para o oeste, na direção oposta às montanhas.

— Partindo tão cedo? — perguntou uma voz.

A pergunta veio de alguém cuja forma era mais ou menos humana, apesar de ser maior do que um ser humano, e tão brilhante que eu mal conseguia olhar para ele. Sua presença feria os meus olhos e o meu corpo (pois dele emanavam luz e calor), como o Sol da manhã no início de um abrasador dia de verão.

— Sim, estou de saída — respondeu o Fantasma. — Obrigado pela hospitalidade, mas não posso mais ficar. Disse a este sujeito — continuou, apontando para o Lagarto — que, se ele viesse, teria de ficar quieto, e ele insistiu em vir. Claro que este lugar não é para ele; já percebi. O problema é que ele não cala a boca e eu tenho que ir para casa.

— Quer que eu o silencie? — perguntou o Espírito flamejante — um anjo, como acabei deduzindo.

— Claro que sim! — disse o Fantasma.

— Vou matá-lo, então! — disse o Anjo, dando um passo à frente.

— Ai! Ei! Cuidado! Está me queimando. Afaste-se! — pediu o Fantasma, recuando.

— Você não o *quer* morto?

— A princípio, você não me disse nada sobre *matá-lo*. Além do mais, não pretendia incomodá-lo com algo tão drástico assim.

— É o único jeito — disse o Anjo, cujas mãos ardentes estavam agora muito perto do Lagarto. — Posso matá-lo?

— Eis outra questão. Estou aberto a considerar a possibilidade, mas isso é uma novidade, não acha? Digo... por enquanto, só pensava em silenciá-lo, já que, aqui em cima... é um constrangimento e tanto!

— Posso matá-lo?

— Ainda temos tempo para discutir o assunto mais tarde.

— Não há tempo. Posso matá-lo?

— Por favor, nunca desejei causar tanto incômodo. Por favor, de verdade, não se preocupe. Veja! Ele adormeceu. Tenho certeza de que, daqui em diante, não haverá mais problemas. Muito obrigado pela preocupação.

— Posso matá-lo?

— Honestamente, não acho que seja necessário. Tenho certeza de que poderei mantê-lo sob controle. Creio que um processo gradual será muito melhor do que acabar com ele de uma vez.

— O processo gradual é inútil.

— Você acha? Vou refletir com cuidado sobre o que você disse. Prometo. Para ser sincero, deixaria você matá-lo agora mesmo, mas a verdade é que não me sinto muito bem hoje. Seria um absurdo fazer isso *agora*. Preciso estar em boa saúde para a operação. Algum outro dia, talvez.

— Não existe "outro dia". Agora, todos os dias são o presente.

— Afaste-se! Você está me queimando! Como posso lhe dizer para matá-lo se *eu mesmo* acabarei morto?

— Não é verdade.

— Não? Você está me machucando agora mesmo!

— Eu nunca disse que não o machucaria. Apenas que não o mataria.

— Ah, entendo. Você acha que eu sou um covarde, mas não é nada disso! Garanto-lhe que não. Deixe-me voltar no ônibus desta noite. Pedirei uma opinião do meu médico e retornarei na primeira oportunidade.

— Esta oportunidade contém todas as oportunidades.

— Por que você está me torturando? Está zombando de mim. *Como* posso deixar que você me rasgue em pedaços? Se a sua intenção era ajudar, por que não matou a maldita coisa sem me perguntar nada, antes que eu soubesse? O problema já estaria resolvido.

— Não posso matá-lo contra a sua vontade. É impossível. Tenho a sua permissão?

As mãos do Anjo estavam quase fechadas sobre o Lagarto, mas não totalmente. Então o réptil começou a falar tão alto com o Fantasma, que até eu pude ouvir a conversa:

— Cuidado! — advertiu o animal. — Ele pode fazer o que diz. Pode me matar. Uma palavra fatal sua e é exatamente o que ele *fará*! Então você ficará sem mim para sempre. Seria imprudente. Como é que conseguiria viver? Seria apenas uma espécie de fantasma, não um homem de verdade, como é agora. Ele não entende. Não passa de uma coisa abstrata, fria, insensível. Pode ser normal para ele, mas não para nós. Sim, sim, eu sei que agora não existem prazeres reais, apenas sonhos. Mas sonhos não são melhores do que nada? Serei bonzinho. Admito que, no passado, fui longe demais algumas vezes, mas prometo não fazer isso de novo. Não lhe darei mais nada, a não ser bons sonhos — doces, revigorantes e quase inocentes. Muito inocentes, podemos dizer...

— Tenho a sua permissão? — insistiu o Anjo com o Fantasma.

— Acabarei morrendo.

— Não. Mas, se morresse, qual o problema?

— Tem razão. Seria melhor estar morto do que viver com esta criatura.

— Posso, então?

— Droga! — gritou o Fantasma. — Vá em frente! Acabe com isso de uma vez! Faça o que quiser! — Comiserando-se, porém, no final: — Que Deus me ajude! Que Deus me ajude!

Logo em seguida, o Fantasma soltou um grito de agonia como eu jamais escutara na Terra. Com sua mão carmesim, o Ser Flamejante agarrou o réptil, que se contorcia e mordia, e o torceu. Depois o lançou, já com as vértebras quebradas, contra a relva.

— Ai! Estou acabado! — gemeu o Fantasma, cambaleando para trás.

Por um momento, não compreendi nitidamente o que estava acontecendo. Então vi, entre mim e o arbusto mais próximo, inconfundivelmente sólidos e crescendo cada vez mais, o braço e o ombro de um homem. Depois, ainda mais brilhantes e mais fortes, as pernas e as mãos. O pescoço e a cabeça dourada se materializaram enquanto eu observava. Se minha atenção não tivesse vacilado, teria visto toda a formação de um homem — um homem enorme, nu, quase do tamanho do Anjo.

O que me distraiu foi o fato de que, ao mesmo tempo, algo parecia acontecer com o Lagarto. A princípio pensei que a operação tivesse falhado. Longe de estar morta, a criatura ainda lutava e ficava cada vcz maior enquanto se contorcia. E, à medida que crescia, desenvolvia-se. A parte traseira ficou arredondada. O rabo, ainda balançando, transformou-se em uma cauda peluda que chacoalhava entre pernas enormes e lustrosas.

De repente, recuei, esfregando os olhos. Diante de mim estava o maior garanhão que eu já tinha visto — de um branco prateado, mas com a crina e a cauda douradas. Sua pele era macia e refulgente. Carne e músculos modelavam o seu corpo. Enquanto relinchava, marcava o chão com os cascos. A cada batida, a terra tremia e as árvores brandiam.

O homem recém-formado virou-se e deu algumas palmadas no pescoço do novo cavalo, que esfregou a ponta do focinho no corpo brilhante. Próximos como estavam, cavalo e cavaleiro podiam sentir a respiração um do outro.

O homem afastou-se do animal, atirou-se aos pés do Ser Flamejante e os abraçou. Ao se levantar, pensei ter visto lágrimas cintilando em seu rosto, mas podem ter sido apenas o amor e o brilho líquidos (não podemos distingui-los neste lugar) que fluíam dele. Não tive muito tempo para pensar nisso. Pronta e jubilosamente, o jovem saltou sobre o dorso do cavalo. Virando-se, acenou em despedida e depois cutucou o animal com os calcanhares. Ambos partiram, antes que eu me desse conta do que estava acontecendo. Cavalgaram como um relâmpago!

Saí o mais rápido possível do meio dos arbustos para segui-los com os olhos, mas ambos já não passavam de uma espécie de estrela cadente, longe na planície verdejante, e não tardaram a chegar ao pé das montanhas. Então os vi subindo, ainda como uma estrela, declives aparentemente inconquistáveis, e cada vez mais depressa, até virarem um ponto indistinto na paisagem, tão alto que tive de esticar o pescoço para vê-los. Por fim, desapareceram, misturando-se com o brilho rosado daquela manhã eterna.

Enquanto observava, reparei que toda a planície e a floresta tremiam com um som que no nosso mundo seria alto demais, embora lá eu conseguisse ouvi-lo com alegria. Sabia que o cântico não partia dos Seres Sólidos. Era a voz daquela terra, daqueles bosques, daquelas águas. Um ruído estranho, arcaico e inorgânico, que vinha de todas as direções ao mesmo tempo. A Natureza, ou a Arquinatureza, daquela terra regozijava-se por ter sido mais uma vez cavalgada, dominada e, portanto, consumada na imagem do cavalo. Cantava:

> *Disse o Senhor ao nosso senhor: vem! Partilha do meu descanso e esplendor, até que todas as naturezas que foram inimigas se tornem escravas da dança em tua presença, dorsos para que possas cavalgar e estrado para o apoio dos teus pés.*
>
> *De todas as terras e épocas, além do próprio Lugar, te será dada autoridade. Forças que outrora se opuseram a ti se tornarão fogo obediente em teu sangue e trovão celestial em tua voz.*
>
> *Vence-nos para que, vencidos, sejamos nós mesmos. Ansiamos pelo início do teu reino como desejamos o alvorecer e o orvalho, a umidade ao romper do Sol.*
>
> *Senhor, o teu Senhor nomeou-te para sempre para seres o nosso Rei de Justiça e o nosso Sumo Sacerdote.*[2]

— Entende o significado de tudo isso, meu filho? — perguntou-me o Professor.

— Não *tudo*, senhor — confessei. — Estou certo ao pensar que o Lagarto realmente se transformou em um Cavalo?

— Sim. Mas primeiro foi morto. Não se esqueça dessa parte da história.

— Tentarei não me esquecer, senhor. Mas isso significa que tudo, tudo mesmo, o que há em nós poderá ir para as Montanhas?

---

[2]Paráfrase de Salmos 110.

— Nada, nem mesmo o melhor e mais nobre poderá prosseguir em seu estado atual. Nada, nem mesmo o mais inferior e bestial deixará de ressuscitar ao se submeter à morte. É semeado um corpo natural e ressuscita um corpo espiritual.[3] Carne e sangue não podem subir às Montanhas.[4] Não por serem elevados, e sim fracos demais. O que é um lagarto comparado com um cavalo? A cobiça não passa de uma coisa pobre, fraca, lamentável e sussurrante se comparada com a riqueza e a energia do desejo que surge quando a própria cobiça é morta.

— Então, quando voltar para casa, devo contar às pessoas que a sensualidade desse homem se revelou um obstáculo menor do que o amor daquela pobre mulher pelo filho? Pois se tratava, de qualquer forma, de um excesso de *amor*.

— Você não lhes dirá nada disso — respondeu o Professor, severamente. — Excesso de amor, você diz? Não houve excesso, mas falta de amor. Ela amava pouco seu filho, não muito. Se ela o amasse mais, não haveria nenhum problema. Não sei como terminará o caso dela, mas pode ser que, neste exato momento, esteja exigindo que o filho vá com ela para o Inferno. Às vezes pessoas assim estão perfeitamente prontas para mergulhar a alma que afirmam amar em uma miséria infindável, se, de

---

[3]Cf. 1Coríntios 15:44.
[4]Alusão a 1Coríntios 15:50.

alguma forma, ainda puderem possuí-la. Não e não! Você deve aprender outra lição. Deve questionar: se o corpo ressuscitado de um mero desejo natural é tão grandioso quanto o cavalo que viu, como será o corpo ressuscitado do amor maternal ou da amizade?

Mais uma vez, minha atenção foi desviada:

— Existe *outro* rio ali, senhor? — perguntei.

Doze

A razão pela qual perguntei se havia outro rio foi o fato de que, ao longo de uma extensa trilha da floresta, a parte inferior dos galhos frondosos começou a tremer com uma luz bruxuleante. Na Terra, não sabia de nada capaz de produzir esse efeito, exceto pelas luzes refletidas na água depois de agitada. Momentos depois percebi o meu engano. Uma espécie de procissão se aproximava, e a luz se originava das pessoas que a compunham.

À frente vinham os Espíritos Reluzentes (não os Espíritos de seres humanos), que dançavam e espalhavam flores — flores que caíam de maneira silenciosa e flutuavam levemente, ainda que, pelos padrões do mundo espiritual, cada pétala devesse pesar uma tonelada, e sua queda soar como a colisão de meteoros. Então, à esquerda e à direita, de cada lado da trilha da floresta surgiam figuras joviais: rapazes de um lado e moças do outro. Se eu pudesse me lembrar do seu canto e escrever aquelas notas, ninguém que lesse a partitura jamais ficaria doente ou envelheceria. Entre eles caminhavam músicos, e por último vinha uma senhora, em cuja homenagem tudo aquilo estava sendo feito.

Não me recordo se ela estava nua ou vestida. Se nua, deve ter sido a penumbra quase visível da sua afabilidade e alegria que produziu na minha memória a ilusão de um véu, grande e brilhante, que a seguia sobre a relva verdejante. Se vestida, a ilusão de nudez decorreu da limpidez com que seu mais profundo espírito resplandecia através da sua roupa. Pois as roupas, naquele lugar, não servem de disfarce. O corpo espiritual flui de cada fio, transformando todos em órgãos vivos. Ali, um manto ou uma coroa fazem parte das características de quem os usa, como um lábio ou um olho.

De qualquer maneira, esqueci-me de muitos detalhes, e apenas parcialmente me recordo da insuportável beleza do seu rosto.

— Seria mesmo ela? Seria a... — sussurrei para o meu guia.

— De modo nenhum — ele respondeu. — Trata-se de alguém de quem você nunca ouviu falar. Na Terra, chamava-se Sarah Smith e morava em Golders Green.[1]

— Parece ser... bem, uma pessoa importante.

---

[1]Área de um bairro de Londres, notória particularmente por sua grande população judaica.

— Sim. É uma das grandes. Creio que você já ouviu falar que a fama aqui não corresponde à fama na Terra.

— E quem são essas pessoas esplêndidas? Veja! São como esmeraldas... dançando e lançando flores à frente dela.

— Por acaso você nunca leu Milton? "Mil anjos de libré a servem."[2]

— E quem são todos esses rapazes e moças de cada lado?

— Filhos e filhas dela.

— Ela deve ter tido uma família muito grande, senhor.

— Todo homem ou rapaz que a conhecia tornava-se seu filho, mesmo que fosse o garoto que lhe entregava encomendas à porta dos fundos. A mesma coisa acontecia com qualquer moça que deparasse com ela.

— Isso não seria um problema para os pais desses jovens?

— Não. De fato *existem* aqueles que roubam os filhos dos outros. Mas o seu amor maternal era diferente. Aqueles que eram alvo de sua maternidade voltavam para os pais naturais amando-os ainda mais. Poucos homens olhavam para ela sem se transformarem, de certa maneira, em seus amantes. No entanto, era o tipo de amor que os tornava ainda mais fiéis às suas esposas.

— E como... Nossa! O que são todos esses animais? Um gato, dois gatos... dezenas de gatos. E tantos cães que nem sequer posso contá-los. E pássaros... e cavalos...

---

[2]Verso de *Comus*, mencionado por Lewis no prefácio.

— São os animais dela.

— Ela tinha alguma espécie de zoológico? Quero dizer, são muitos animais...

— Todo animal que se aproximava dela encontrava um lugar no seu amor. Nela, cada um encontrava sua própria identidade. Agora, a abundância de vida que ela tem em Cristo, uma vida que nasce no Pai, flui sobre eles.

Olhei para o meu Professor com espanto.

— Sim — ele reiterou. — É como lançar uma pedra em uma lagoa e observar as ondas concêntricas afastando-se cada vez mais. Quem sabe onde vão parar? A humanidade redimida ainda é jovem e não alcançou a plenitude da sua força. Mesmo assim, já existe alegria suficiente no dedo mindinho de uma grande santa, como essa senhora, para despertar todas as coisas mortas do universo de volta à vida.

Enquanto conversávamos, a Senhora avançava cada vez mais na nossa direção, mas não era para nós que olhava. Seguindo o seu olhar, virei-me e vi que se aproximava um Fantasma com uma forma estranha. Na verdade, eram dois Fantasmas: um enorme, terrivelmente magro e trêmulo, que parecia conduzir o outro, não maior do que um macaquinho de realejo, por uma corrente. O Fantasma mais alto usava um chapéu preto macio e me fazia lembrar de algo que a minha memória não conseguia recuperar. Então, quando se encontrava a poucos metros da Senhora, pôs as mãos esqueléticas e trêmulas sobre o peito, com os dedos afastados, e exclamou com voz grave:

— Finalmente!

De repente percebi o que ele me lembrava: a imagem de um ator falido e antiquado.

— Querido! Finalmente! — exclamou a Senhora.

"Deus do céu", pensei. "Certamente ela não pode...", e então reparei em duas coisas. Em primeiro lugar, que o pequeno Fantasma não estava sendo levado pelo grande: era a figura anã que segurava a corrente e a figura teatral que usava uma coleira no pescoço. Em segundo lugar, notei que a Senhora olhava apenas para o Fantasma anão; parecia pensar que o Anão lhe dirigira a palavra, ou então ignorava deliberadamente o outro. Era para o anão que ela voltava sua atenção. O amor não resplandecia apenas do rosto da Senhora, mas de todos os seus membros, como se fosse um líquido em que ela acabara de se banhar. Então, para a minha surpresa, ela se aproximou e beijou o Anão. Causava arrepios vê-la em contato tão íntimo com aquela coisa fria, úmida e encolhida. Mas ela não se abalou.

— Frank — disse ela —, antes de mais nada, perdoe-me! Peço perdão por tudo o que fiz de errado e por tudo o que deveria ter feito e não fiz, desde o dia em que nos conhecemos.

Pela primeira vez, consegui ver nitidamente o Anão (ou talvez, ao receber o beijo da Senhora, ele tenha se tornado um pouco mais visível). Pude distinguir traços do seu rosto quando era um homem: um rosto pequeno, oval, sardento, com um queixo fraco e um bigode fino e falhado.

O Anão olhava a Senhora de relance, mas não a fitava, já que observava o Trágico pelo canto dos olhos. Então deu um puxão na corrente; e foi o Trágico, não o Anão, quem respondeu à Senhora.

— Ora, ora — disse ele. — Não falemos mais sobre isso. Todos cometemos erros.

Com essas palavras, surgiu em seu rosto uma contorção horrível que me pareceu a tentativa de um sorriso complacente e brincalhão.

— Não falemos mais sobre isso — continuou. — Não é em mim que tenho pensado todos esses anos, mas em você, aqui, sozinha, com coração partido por minha causa.

— Mas agora — respondeu a Senhora ao Anão — você pode deixar tudo para trás. Não torne a remoer o assunto. Está tudo acabado.

Sua beleza reluzia de tal maneira que eu mal podia ver qualquer outra coisa. Sob aquela dócil repreensão, o Anão a fitou diretamente pela primeira vez. Por um segundo, pensei que ele estava ficando mais parecido com um homem. Abriu a boca e preparou-se para falar ele próprio desta vez. Mas, ah, a decepção quando as palavras vieram!

— Sentiu saudades de mim? — resmungou com uma voz de lamúria.

Apesar das palavras frias, a Senhora não demonstrou qualquer estranhamento. O amor e a gentileza continuavam a fluir dela.

— Muito em breve, querido, você entenderá tudo — ela lhe assegurou. — Hoje...

O que aconteceu em seguida deixou-me alarmado. O Anão e o Trágico falaram em uníssono, não com ela, mas um com o outro:

— Repare — advertiram-se mutuamente — que ela não respondeu à nossa pergunta.

Foi então que percebi que se tratava de uma única pessoa, ou melhor, que ambos eram os restos do que outrora havia sido uma pessoa. O Anão tornou a balançar a corrente:

— Sentiu saudades de mim? — perguntou o Trágico para a Senhora, com um tremor teatral assustador na voz.

— Querido — respondeu a Senhora, ainda fixando o olhar exclusivamente no Anão —, fique tranquilo a respeito disso e de tudo mais. Esqueça tudo de uma vez por todas.

Por um breve momento, pensei mesmo que o Anão fosse obedecer — em parte porque os contornos de seu rosto se tornaram um pouco mais visíveis, em parte porque o convite da Senhora à alegria que emanava das profundezas do seu ser, como o canto de um pássaro em uma tarde de abril, parecia-me um que nenhuma criatura poderia recusar.

Contudo, o Anão hesitou e, mais uma vez, falou em uníssono com o seu cúmplice:

— É claro que seria mais gracioso e benigno não insistir no assunto — disseram um ao outro. — Mas podemos ter certeza de que ela repararia? Já agimos assim antes.

Certa vez, deixamos que ela usasse o último selo que tínhamos em casa para escrever à sua mãe e não reclamamos, embora ela *soubesse* que nós também queríamos enviar uma carta. Pensávamos que ela se lembraria e perceberia como fomos altruístas, mas ela nunca se deu conta. Também houve aquela vez em que... Ah! muitas e muitas vezes...!

Então o Anão puxou a corrente e...

— Não posso esquecer! — clamou o Trágico. — Também não quero. Consegui perdoar tudo o que os outros me fizeram. Já a tristeza que você me causou...

— Mas você não entende? — argumentou a Senhora. — Não *existem* tristezas neste lugar.

— Quer dizer... — respondeu o Anão, como se essa nova ideia o tivesse levado a ignorar o Trágico por um momento. — Quer dizer que tem sido *feliz* aqui?

— Não é o que você queria que eu fosse? Mas não importa. Se você deseja a minha felicidade, declare-o agora; do contrário, nem pense nisso.

Surpreso, o Anão olhou para ela. Era como se uma ideia inédita tentasse entrar em sua mente minúscula. Pude até notar que, para ele, havia certa doçura no pensamento proposto pela Senhora. Faltou pouco para que largasse a corrente, mas então tornou a agarrá-la, como se fosse o seu salva-vidas.

— Olha aqui, temos de resolver essa situação — demandou o Trágico, desta vez em um tom "macho" de intimidação, usado para chamar as mulheres ao bom senso.

— Querido — disse a Senhora para o Anão —, não há nada a resolver. Você não ia querer que eu fosse infeliz apenas por amor à infelicidade. Na sua perspectiva, eu só te amaria de verdade se fosse infeliz neste lugar. Mas, se simplesmente tiver um pouco de paciência, você verá que não é assim.

— Amor! — disse o Trágico, batendo com a mão na testa. Em seguida, em um tom mais grave: — Amor! Você conhece o significado dessa palavra?

— Como eu não conheceria? — respondeu a Senhora. — Eu vivo na esfera do amor. Na *esfera do amor*, entende? Sim, agora eu amo de verdade.

— Quer dizer... — disse o Trágico — quer dizer que você *não* me amava de verdade nos velhos tempos?

— Apenas de uma maneira incompleta — respondeu ela. — Pedi que você me perdoasse, e havia nisso um pouco de amor verdadeiro. Mas o que lá embaixo chamávamos de "amor" não passava de um profundo desejo de ser amado. Em geral, meu amor não era puro; eu amava porque precisava de você.

— E agora? — indagou o Trágico, com um gesto banal de desespero. — Agora não precisa mais de mim?

— Claro que não! — replicou a Senhora. Seu sorriso me fez imaginar como os dois Fantasmas conseguiam não gritar de alegria. — Que necessidade eu poderia ter, agora que tenho tudo? Sinto-me plena, e não vazia. Habito no Próprio Amor e não me sinto sozinha. Sou forte, e não fraca. E você experimentará a mesma coisa. Venha e veja. Não teremos mais *necessidade* um do outro. Começaremos a amar verdadeiramente.

O Trágico, porém, insistia em manter sua postura dramática.

— Ela não precisa mais de mim! Não precisa. Não precisa! — repetia, com voz embargada, para ninguém em particular. — Preferia... — prosseguiu ele, mas agora distorcendo as palavras — *prifiria* vê-la morta a meus pés a ouvir essas palavras. Morta a meus pés. Morta a meus pés...

Não sei por quanto tempo a criatura pretendia continuar repetindo a frase, pois a Senhora pôs um fim àquilo.

— Frank! Frank! — clamou, num tom que fez as árvores tremerem. — Olhe para mim. *Olhe* para mim. O que você está fazendo com esse boneco enorme e feio? Solte a corrente. Mande-o embora. É *você* que eu quero. Não percebe a bobagem que ele está falando?

A exultação dançava no olhar da Senhora enquanto ela partilhava de sua alegria com o Anão, bem diante do Trágico. Algo semelhante a um sorriso lutava para surgir no rosto do Anão, que agora *olhava* para ela. Sua risada lhe enfraquecera as defesas. O Anão se esforçava para manter a compostura, mas sem sucesso. Assim, involuntariamente, cresceu um pouco mais.

— Ah, meu teimoso! — disse ela, carinhosamente. — Aonde quer chegar falando dessa maneira aqui? Você *já me viu* morta há muitos anos. Não "a seus pés", obviamente, mas em um leito em uma casa de repouso — uma ótima casa de repouso, por sinal. A enfermeira-chefe jamais ousaria deixar corpos caídos pelo chão! É ridículo que esse boneco tente, *aqui*, impressionar alguém falando a respeito da morte. Simplesmente não vai funcionar.

Treze

Não sei se já tinha presenciado algo mais terrível do que a luta daquele Fantasma Anão contra a alegria; ele quase foi vencido. Em algum lugar, incalculáveis eras atrás, devem ter existido nele lampejos de humor e de bom senso. Por um momento, enquanto a Senhora o olhava com amor e alegria, o Fantasma pôde ver o absurdo do Trágico. Por alguns instantes, não interpretou de maneira errada o riso dela. Em algum momento da vida ele também deve ter compreendido que não há duas pessoas que achem uma à outra mais absurdas do que aquelas que se amam. Todavia, a luz que o alcançou, alcançou-o contra a sua vontade. Não era o encontro que havia imaginado; por isso, não o aceitaria. Mais uma vez, o Fantasma agarrou sua corrente de morte e imediatamente o Trágico falou:

— Como você se atreve a rir na minha cara? — esbravejou. — Essa é a minha recompensa? Pois bem. Ainda bem que você não se preocupa com o meu destino, porque, depois, poderia se arrepender ao pensar que me enviou de volta para o Inferno. O quê? Você acha que *agora* eu ficaria? Muito obrigado. Reconheço perfeitamente quando não sou querido. "Indesejado" seria a expressão correta, se bem me recordo.

Daí em diante, o Anão não falou mais. No entanto, a Senhora continuou se dirigindo a ele:

— Querido, ninguém está te enviando de volta. Toda a alegria está neste lugar. Tudo nos convida a ficar.

À medida que ela falava, porém, o Anão ficava ainda menor.

— Sim — disse o Trágico. — Em condições que seriam oferecidas a um cachorro. Ainda tenho um pouco de respeito próprio e vejo que a minha partida não fará a menor diferença para você. Você não dá a mínima para o fato de eu voltar ao frio e à escuridão, àquelas ruas cheias de solidão…

— Não, Frank. Não! — disse a Senhora. — Não deixe o boneco falar assim.

Agora, no entanto, o Anão estava tão pequeno, que a Senhora caiu de joelhos para falar com ele. O Trágico recebeu as palavras dela com a mesma avidez de um cão quando pega um osso.

— Ah! Não suporta ouvir isso? — gritou, com um infeliz triunfo. — Foi sempre assim. Você deve ser *sempre* protegida. Realidades sombrias devem ser mantidas fora da *sua* vista. Você pode ser feliz sem mim, me esquecendo!

Não quer nem ouvir falar dos meus sofrimentos. Está sempre me dizendo "não". Não quer que eu lhe diga coisa alguma. Não quer que eu a faça infeliz. Não quer que eu invada o seu pequeno, protegido e egocêntrico céu. E essa é a recompensa...

A Senhora se abaixou ainda mais para falar com o Anão, que agora não passava de um vulto do tamanho de um gatinho, pendurado na ponta da corrente com os pés fora do chão.

— Não foi por isso que eu disse "não" — respondeu ela. — Quis dizer: pare de encenação. Isso não é bom. Está te matando. Solte esta corrente. Ainda há tempo!

— Encenação? — gritou o Trágico. — O quc você quer dizer?

O Anão estava agora tão pequeno, que eu não conseguia distingui-lo da corrente na qual se agarrava. Por isso, pela primeira vez não consegui entender se a Senhora se dirigia a ele ou ao Trágico.

— Rápido! — disse ela. — Ainda há tempo. Pare já. Imediatamente!

— Parar o quê?

— De usar a compaixão — a compaixão de outras pessoas — da maneira errada. Na Terra, todos já fizemos isso algumas vezes. A compaixão deve ser um estímulo que leva a alegria a ajudar alguém em necessidade. Mas ela pode ser usada de maneira errada, como uma espécie de chantagem. Aqueles que optam pela infelicidade usam a compaixão para manter cativa a alegria. Veja, agora eu sei. Mesmo quando criança, você já agia assim. Em vez de pedir desculpas, ficava de mau humor no sótão... porque sabia que, mais cedo ou mais tarde, uma das suas irmãs diria: "Não suporto imaginá-lo sozinho, chorando". Você usava a compaixão delas para chantageá-las, e elas cediam no final. Mais tarde, quando nos casamos... Ah! Não importa. Apenas *pare* com essa atitude!

— E *isso* — exclamou o Trágico — é tudo o que você pensa de mim, depois de todos esses anos!

Nesse ponto, não sei o que sucedeu ao Fantasma. Talvez tivesse subido na corrente, como um inseto; talvez a corrente o tivesse, de alguma forma, absorvido.

— Não, Frank. Não *aqui* — insistiu a Senhora. — Ouça a voz da razão. Você acha que a alegria foi criada para viver sempre sob ameaça? Sempre indefesa em relação àqueles que preferem a infelicidade a terem sua vontade contrariada? Seria uma verdadeira desgraça. Agora eu entendo. Você sempre se fez de coitado; e ainda pode continuar nessa condição. O que não pode mais fazer é transmitir a sua infelicidade. Todas as coisas se transformam cada vez mais naquilo que, em essência, já são. Neste lugar, há uma alegria que jamais pode ser abalada. Nossa luz pode engolir a sua escuridão, mas a sua escuridão não pode mais contaminar a nossa luz. Não, não, não! Junte-se a nós; não vamos ao seu encontro. Será que você realmente achava que o amor e a alegria estariam sempre à mercê de caras feias e suspiros? Não sabia que o amor e a alegria são mais fortes do que os seus opostos?

— Amor? Como se atreve a usar essa palavra sagrada? — questionou o Trágico.

No mesmo instante, recolheu a corrente que já há algum tempo balançava inutilmente ao seu lado e, de alguma forma, desfez-se dela. Não tenho certeza, mas acho que a engoliu. Pela primeira vez, ficou claro que a Senhora olhava para o Trágico e se dirigia apenas a ele.

— Onde está o Frank? — perguntou. — E quem é o senhor? Nunca o conheci. Talvez seja melhor ir embora; ou fique, se preferir. Se isso o ajudasse e fosse possível, eu desceria com você até o Inferno; mas você não pode trazer o Inferno até mim.

— Você não me ama — respondeu o Trágico com uma voz fina, como o som emitido por um morcego. Agora era muito difícil vê-lo.

— Não posso amar uma mentira — replicou a Senhora. — Não posso amar algo que não existe. Estou na esfera do Amor, e dela não sairei.

Não houve resposta. O Trágico desapareceu, e a Senhora viu-se sozinha naquele canto da floresta. Um pássaro marrom passou por ela, saltando e curvando, com as patas leves, a relva que eu não conseguia dobrar.

Imediatamente a Senhora se levantou e começou a se afastar. Os outros Espíritos Reluzentes foram ao seu encontro para recebê-la, cantando enquanto se aproximavam:

A Trindade Feliz é o seu lar; nada incomodará a sua alegria.
Ela é o pássaro que escapa de todas as redes, o cervo selvagem que salta todas as armadilhas.
Como a galinha para com os pintinhos ou o escudo no braço do cavaleiro, assim é o Senhor para a mente dela, na Sua lucidez imutável.
Monstros não a assustam no escuro; disparos não a amedrontam durante o dia.
Mentiras disfarçadas de verdade atacam-na em vão; ela vê através da mentira, como se fosse vidro.
O germe invisível não lhe causará danos; tampouco o Sol incandescente.
Mil não conseguem resolver o problema, dez mil escolhem a vereda errada, mas ela passa em segurança.
Ele envia deuses imortais para que cuidem dela, por todo o caminho que deve percorrer.
Conduzem-na pela mão em lugares difíceis; seus pés não escorregarão na escuridão.
Pode caminhar entre Leões e cascavéis, entre dinossauros e tocas de leoas.
Deus enche o seu cálice com a imensidão da vida; leva-a para ver o desejo do mundo.[1]

⧓

— E ainda assim... ainda assim... — confessei para o meu Professor, quando todas as formas e cantos haviam se

[1]Paráfrase de Salmos 91.

desvanecido da floresta — não tenho certeza. Será realmente aceitável que ela não se deixe tocar pelo estado miserável de Frank, mesmo que se trate de uma miséria autoimposta?

— Você preferiria que ele ainda tivesse o poder de atormentá-la? Em sua vida terrena, Frank fez isso durante muitos e muitos anos.

— Creio que não.

— Qual o problema, então?

— Não sei, senhor. O que algumas pessoas dizem na Terra é que a perda final de uma alma contesta toda a alegria dos salvos.

— Mas você vê que não é esse o caso.

— Sinto que, de certa maneira, deveria ser.

— Soa muito misericordioso, mas veja o que se esconde por trás disso.

— O quê?

— A exigência, dos que não têm amor e dos que se autoaprisionam, de que lhes seja permitido chantagear o universo; de que, até que optem pela felicidade (nos seus próprios termos), ninguém possa experimentar a alegria; de que a palavra final seja deles; de que o Inferno tenha poder de *veto* sobre o Céu.

— Não sei o que quero, senhor.

— Filho, filho... deve ser uma coisa ou outra. Ou chegará o dia em que a alegria prevalecerá e todos os criadores de desgraças já não poderão mais corrompê-la, ou, para todo o sempre, os criadores de desgraças poderão arruinar a felicidade que existe nos outros e que rejeitam para si mesmos. Sei que soa grandioso dizer que não aceitará qualquer salvação que deixe uma criatura sequer do lado de fora, nas trevas. Mas cuidado com esse sofisma; desse jeito, fará do Cão na Manjedoura[2] o tirano do universo.

— Só que alguém ousaria alegar (é horrível dizer isso) que a Compaixão deve morrer?

— Você deve distinguir uma coisa da outra. A ação da Compaixão viverá para sempre; o sentimento da Compaixão, não. O sentimento da Compaixão, aquele do qual somos vítimas, a dor que leva pessoas a entregarem o que não deve ser entregue e a bajularem quando deveriam dizer a verdade — a Compaixão que roubou muitas mulheres de sua virgindade e furtou muitos governantes de sua honestidade —, esse sentimento morrerá. Como arma, foi usado por homens perversos contra os bons, então será destruído.

— E quanto ao outro tipo... a ação da Compaixão?

— É uma arma do lado oposto. Viaja mais rapidamente do que a luz, do lugar mais alto para o mais baixo, a fim de trazer cura e alegria, custe o que custar. Transforma as trevas em luz e o mal em bem. Mas não imporá ao bem, pelas lágrimas astutas do Inferno, a tirania do mal. Toda

---

[2]Referência à fábula "O cão na manjedoura". Nela, o fazendeiro enxota o cão que, deitado na manjedoura, não come o feno e impede que os bois o comam.

doença que se submeter à cura será curada, mas não chamaremos o azul de "amarelo" para agradar aos que insistem em sofrer de icterícia nem transformaremos em lixo o jardim do mundo só porque alguns não conseguem suportar o perfume das rosas.

— O senhor diz que a ação da Compaixão desceria até as maiores profundezas. Mas ela não desceu com o Frank para o Inferno. Nem sequer o acompanhou até o ônibus.

— Até onde você gostaria que ela o tivesse acompanhado?

— Ora, até o lugar de onde todos viemos naquele ônibus: o grande abismo, para além da beira do penhasco. Lá longe. Não podemos vê-lo daqui, mas o senhor deve conhecer o lugar a que me refiro.

Meu Professor deu um sorriso curioso.

— Olhe — disse ele e, a seguir, se pôs de joelhos, com as palmas das mãos no chão. Fiz o mesmo (como doeram os meus joelhos!) e logo vi que ele havia arrancado uma folha de grama. Usando sua extremidade fina como um ponteiro, me fez ver, depois de eu olhar atentamente, uma fenda no solo, tão pequena que eu não seria capaz de identificá-la sem que ele a mostrasse.

— Não posso afirmar com precisão — continuou — que você veio *desta* fenda. No entanto, se veio por outra, sem dúvida não foi por uma maior do que esta abertura.

— Mas... mas... — hesitei, com uma sensação de perplexidade que beirava o terror. — Vi um abismo infinito e penhascos que se elevavam cada vez mais. Em seguida, vi *este* lugar, no topo dos penhascos.

— Sim, mas a viagem não foi uma mera locomoção. Aquele ônibus e todos dentro dele aumentaram de *tamanho*.[3]

— Quer dizer que o Inferno, toda aquela cidade vazia e infinita, está contido em uma fenda pequena como esta?

— Sim. O Inferno todo é menor do que uma pedrinha do seu mundo terreno; mas é ainda menor do que um átomo *deste* mundo, o Mundo Real. Repare naquela borboleta. Se ela engolisse o Inferno inteiro, ele não seria grande o suficiente para lhe fazer nenhum mal. Nem sequer teria algum sabor.

— Parece grande o suficiente quando estamos dentro dele, senhor.

— Sim, mas mesmo todos os incômodos do Inferno — toda a solidão, a raiva, o ódio e a inveja — não teriam peso algum se, reunidos em uma única experiência e colocados na balança, fossem comparados com o momento mais irrisório de alegria sentido pelo menor habitante do Céu. Ao contrário do bem, que prevalece na bondade, o mal não consegue ter sucesso nem sequer na maldade. Se toda a miséria do Inferno entrasse na consciência do pequeno pássaro amarelo que se encontra ali naquele galho, seria

---

[3]Também aprendi sobre essa forma de viagem com a "cientificção" [ficção científica]. [N. A.]

engolida sem deixar vestígios, como se uma gota de tinta caísse naquele Grande Oceano, perante o qual o Pacífico terrestre não passa de uma molécula.

— Entendo — reconheci, finalmente. — A Senhora não *caberia* no Inferno.

Meu Professor assentiu com a cabeça.

— Não há espaço para ela — concluiu. — O Inferno não conseguiria abrir a boca o suficiente para a Senhora entrar.

— E ela não poderia diminuir de tamanho, como a Alice?[4]

— Não conseguiria ficar pequena o suficiente. Uma alma condenada não é, afinal, quase nada: é algo encolhido, trancado em si mesmo. O bem bate nos condenados incessantemente, como as ondas sonoras batem nos ouvidos dos surdos, embora eles não consigam recebê-lo. Seus punhos e dentes estão cerrados; seus olhos, bem fechados. De início, eles não desejam abrir as mãos para receber dádivas, nem a boca para serem alimentados, nem os olhos para ver. No final, já não conseguem mais.

— Então ninguém pode alcançá-los?

— Somente o Maior de Todos pode se tornar pequeno o suficiente para entrar no Inferno, pois, quanto mais elevada for uma coisa, mais baixo será capaz de descer. Um homem pode se compadecer de um cavalo, mas um

[4]Personagem de Lewis Carroll, do clássico *Alice no País das Maravilhas*.

cavalo não pode se compadecer de um rato. Apenas Um desceu ao Inferno.

— E ele descerá novamente?

— Não faz muito tempo que ele fez isso. O tempo não funciona da mesma maneira quando deixamos a Terra. Todos os momentos que foram ou hão de ser já estavam, ou ainda estão, presentes no momento da descida dele. Não há espírito preso ao qual ele não tenha pregado.[5]

— E alguns o escutam?

— Sim.

— Em seus próprios livros — eu disse —, o senhor era um Universalista. Falava como se todos os homens fossem ser salvos. E o apóstolo Paulo também.

— Não podemos saber nada sobre o fim de todas as coisas, ou nada exprimível nesses termos. Pode ser, como o Senhor disse a Juliana,[6] que tudo acabe bem; e talvez tudo fique bem, da maneira como o entendemos. Mas não é bom falar dessas questões.

— Por serem terríveis demais, senhor?

— Não. Porque todas as respostas são enganosas. Se você colocar a questão na perspectiva do Tempo e perguntar sobre as possibilidades, a resposta é certa: os caminhos estão à sua frente. Nenhum deles está fechado. Qualquer

---

[5]Cf. 1Pedro 3:19.

[6]Juliana de Norwich (1342-1416), religiosa inglesa conhecida por experiências de cunho místico.

um pode escolher a morte eterna, e aqueles que fizerem essa escolha a terão. Mas, se você pular para a eternidade, se tentar ver como *será* o estado final de todas as coisas (pois é isso que deseja saber), quando não existirem mais possibilidades, mas apenas a Realidade, então estará à procura de respostas que os mortais não podem ouvir. O Tempo é a própria lente através da qual você vê — coisas pequenas e nítidas, como as que são vistas pelo lado errado de um telescópio — algo que de outra forma seria grande demais, a saber, a Liberdade: o dom por meio do qual você mais se assemelha ao Criador e participa da realidade eterna. No entanto você é capaz de vê-la somente através das lentes do Tempo, em uma imagem pequena e nítida, já que o telescópio está invertido. É a imagem de uma sequência de momentos, nos quais você faz escolhas que poderiam ter sido diferentes. Nem a sucessão temporal, nem o fantasma do que poderia ter sido a sua escolha, mas não foi, constituem, por si só, a Liberdade. Servem apenas de lente. A imagem é um símbolo, porém mais verdadeiro do que qualquer teorema filosófico (ou, talvez, mais real do que qualquer visão mística) que reivindique acompanhá-la. Pois cada tentativa de contemplar os contornos da eternidade, exceto pelas lentes do Tempo, destrói o seu conhecimento da Liberdade. Veja a doutrina da Predestinação, que mostra (verdadeiramente) que a realidade eterna não aguarda um futuro para se tornar real, mas o faz à custa da remoção da Liberdade, a verdade mais profunda das duas.

O Universalismo não faria a mesma coisa? Você *não pode* conhecer a realidade eterna a partir de uma definição. O próprio Tempo e todas as ações e acontecimentos que o preenchem são a definição, e devem ser vividos. O Senhor disse que somos deuses.[7] Por quanto tempo você suportaria contemplar, sem as lentes do Tempo, a grandiosidade da sua própria alma e a realidade eterna da sua escolha?

[7]Cf. Salmos 82:6; João 10:34.

Quatorze

De repente, tudo mudou. Vi uma grande assembleia de vultos gigantescos, imóveis, em silêncio profundo, parada em volta de uma pequena mesa de prata e olhando para ela. Sobre a mesa havia miniaturas, como peças de xadrez, que iam de um lado para o outro e faziam isso e aquilo. Dei-me conta de que cada peça era o *idolum*, ou fantoche, representativo de algumas das grandes presenças que ali estavam. Percebi também que as ações e os movimentos de cada peça do xadrez eram um retrato vívido, uma imitação ou pantomima que delineava a natureza mais profunda do seu gigantesco mestre. As peças de xadrez simbolizam os homens e as mulheres da forma como aparecem para si mesmos e uns para os outros neste mundo. O tabuleiro de prata é o Tempo. Os que estão de pé e observam são as almas imortais desses mesmos homens e mulheres. Então uma vertigem e um senso de terror se apoderaram de mim e, agarrando-me ao meu Professor, questionei:

— É *esta* a verdade? Quer dizer que tudo o que vi neste mundo é falso? Esses diálogos entre Espíritos e Fantasmas não passavam de uma imitação das escolhas que realmente foram feitas há muito tempo?

— Não seria melhor dizer que eram antecipações de uma escolha a ser feita no fim de todas as coisas? Mas é melhor não dizer nem uma coisa nem outra. Você viu as escolhas um pouco mais nitidamente do que aparecem na Terra, visto que a lente era mais clara. Ainda assim, viu-as através dessa lente. Não peça de uma visão em um sonho mais do que ela pode dar.

— Um sonho? Então... quer dizer... quer dizer que não estou realmente aqui, senhor?

— Não, Filho — ele respondeu gentilmente, pegando minha mão. — Não é tão bom quanto parece. O cálice amargo da morte permanece diante de você. É apenas um sonho. Caso venha a contar o que viu, deixe claro que tudo não passou de um sonho. Não dê a nenhum pobre tolo pretexto para pensar que você reivindica um tipo de conhecimento que nenhum mortal tem. Não quero nenhum Swedenborg[1] ou Vale Owen[2] entre os meus filhos.

— Deus não permita, senhor! — respondi, tentando parecer muito sábio.

---

[1]Emanuel Swedenborg (1688-1772), polímata e espiritualista sueco que reivindicava entender o sentido interno ou espiritual do texto bíblico.
[2]George Vale Owen (1869-1931), ministro anglicano que se tornou médium.

— Ele *já* não permitiu. É o que estou lhe dizendo. — Ao falar dessa maneira, soou mais escocês do que nunca.

Eu olhava firmemente para o seu rosto. A visão das peças de xadrez havia desaparecido, e mais uma vez a floresta silenciosa e a luz suave do amanhecer nos cercavam. Então, ainda olhando para o seu rosto, vi algo que fez estremecer todo o meu corpo. Naquele instante, eu estava de pé, de costas para o Oriente, onde se encontravam as montanhas; e ele, de frente para mim, olhava nessa direção. Seu rosto resplandeceu com uma nova luz. Uma samambaia, cerca de trinta metros atrás dele, tornou-se dourada. O lado oriental de cada tronco passou a brilhar. As sombras ficaram maiores. O tempo todo houve ruído de pássaros, garganteios, gorjeios e sons semelhantes. Então, de repente, ouviu-se um coro vindo de todos os ramos. Os galos cantavam. Ouvi o latido de cães e o som de trombetas. Acima de tudo, dez mil línguas de homens e anjos da mata, formando uma harmonia com a própria floresta, entoavam:

— Vem![3] A manhã vem! Desperte, dorminhoco![4] Vem! A manhã vem! A manhã vem!

Ensaiei um olhar aterrorizado sobre o ombro, mas não pude ver (ou será que vi?) a aba do nascer do Sol, que atira flechas douradas contra o Tempo e põe em fuga toda

---

[3]Cf. Apocalipse 22:17,20.
[4]Cf. Efésios 5:14.

forma fantasmagórica. Enterrei meu rosto nas dobras do manto do meu Professor, gritando:

— A manhã! A manhã! Fui apanhado pela manhã, mas ainda sou um fantasma!

Era tarde demais. A luz, como blocos sólidos, intoleráveis em tamanho e peso, trovejou sobre a minha cabeça.

No momento seguinte, as dobras do manto do meu Professor não passavam das dobras de um velho pano manchado de tinta na minha escrivaninha, que puxei ao cair da cadeira. Os blocos de luz eram apenas os livros que haviam caído sobre a minha cabeça.

Acordei em um quarto frio, encurvado no chão, ao lado de uma lareira escura e vazia. O relógio marcava três horas, e o uivo de uma sirene soava ao longe.

O grande *divórcio*

Outros livros de C. S. Lewis pela
THOMAS NELSON BRASIL

A abolição do homem
A última noite do mundo
Cartas a Malcolm
Cartas de um diabo a seu aprendiz
Cristianismo puro e simples
Deus no banco dos réus
O assunto do Céu
Os quatro amores
O peso da glória
Reflexões cristãs
Sobre histórias
Todo meu caminho diante de mim
Um experimento em crítica literária

Trilogia Cósmica

Além do planeta silencioso
Perelandra
Aquela fortaleza medonha

Coleção fundamentos

Como cultivar uma vida de leitura
Como orar
Como ser cristão

Este livro foi impresso pela Leograf, em 2022, para a Thomas Nelson Brasil. A fonte do miolo é Adobe Caslon Pro. O papel do miolo é pólen bold 70g/m², e o da capa é couchê 150g/m².